MOSAICO *Italia*

Percorsi nella cultura e nella civiltà italiana

M. De Biasio

P. Garofalo

B2-C2 QUADRO EUROPEO
DI RIFERIMENTO

Marco De Biasio è laureato in Lingue e letterature straniere presso l'Università *Ca' Foscari* di Venezia. Titolare di un Master Itals in Glottodidattica dell'Italiano a stranieri, è attualmente docente d'italiano all'Istituto Italiano di Cultura e all'Università *Rafeal Landivar* di Città del Guatemala.

Pierre Garofalo si è laureato in Lingue e letterature straniere moderne all'Università di Firenze. Ha vissuto per oltre 3 anni in Guatemala dove ha insegnato italiano presso l'Istituto Italiano di Cultura e la Società Dante Alighieri di Città del Guatemala. Attualmente vive a Firenze, dove è insegnante di ruolo di lingua e letteratura francese nelle scuole superiori di secondo grado e dove continua a lavorare come insegnante di italiano a stranieri in diverse scuole e agenzie formative.

© Copyright edizioni Edilingua
Via Paolo Emilio, 28 00192 Roma

Via Moroianni, 65 12133 Atene
Tel. +30 210 57.33.900
Fax +30 210 57.58.903
www.edilingua.it
info@edilingua.it

I edizione: giugno 2008
ISBN: 978-960-6632-69-3
Redazione: Laura Piccolo, Marco Dominici, Antonio Bidetti
Impaginazione: Elena Setta

Ringraziamo sin da ora i lettori e i colleghi che volessero farci pervenire
eventuali suggerimenti, segnalazioni e commenti.
(da inviare a redazione@edilingua.it)

Presentazione

Mosaico Italia è un volume di studio e approfondimento della realtà italiana destinato ad un pubblico di studenti stranieri di livello intermedio-avanzato. L'uso esclusivo della lingua italiana risponde ad una necessità didattica di immersione totale, pienamente accessibile alla fascia di pubblico cui l'opera si rivolge (Livello B2-C2 del Quadro Comune Europeo di Riferimento per le Lingue). L'opera è pensata per tutti coloro che, a scuola o in percorsi extrascolastici, vogliono approfondire lo studio della lingua e della civiltà italiane, avendo alle spalle una conoscenza di base di grammatica, di sintassi e di morfologia italiane. Il testo può essere usato da solo oppure affiancato ad un normale corso intermedio-avanzato di lingua italiana per stranieri.

L'opera è strutturata in sei percorsi che sviluppano in modo organico alcuni temi legati alla cultura italiana e alla vita quotidiana: un *excursus* storico-geografico e politico-amministrativo; l'arte e il piacere della tavola, le abitudini alimentari; l'informazione attraverso stampa e televisione; il cinema; lo sport e il tempo libero; tematiche e problematiche attuali. L'intento è quello di dare un panorama, il più variegato possibile, delle diverse espressioni della cultura italiana. Per questa ragione, ogni sezione include una scheda film e uno spazio dedicato all'arte e alla letteratura, manifestazioni irrinunciabili della cultura italiana nel mondo.

Gli articoli sono stati creati dagli autori con l'obiettivo di adeguarsi al livello di competenza linguistica degli studenti e di soddisfarne il desiderio di conoscenza della realtà italiana, in un crescendo progressivo di complessità. I testi introducono un lessico attuale e stimolano alla lettura e all'approfondimento degli argomenti.

L'apparato didattico comprende una serie ricca e variata di esercitazioni che guidano alla verifica della comprensione del testo, all'ampliamento del lessico, al ripasso delle strutture grammaticali e stimolano la produzione orale e scritta in forma via via più articolata, permettendo l'acquisizione di scioltezza e incisività espressiva. Il volume contiene inoltre un CD audio che permette di testare le abilità d'ascolto attraverso alcune attività di comprensione presenti in ogni capitolo. Le esercitazioni sono state elaborate anche in vista della preparazione alle prove delle certificazioni internazionali delle Università per Stranieri di Perugia (CELI) e di Siena (CILS). Le soluzioni di tutte le attività si possono scaricare dal sito www. edilingua.it

Il volume è stato ideato, testato e realizzato nell'ambito dell'attività didattica dell'*Istituto Italiano di Cultura* in Guatemala e della *Escuela de Ciencias Lingüísticas de la Universidad de San Carlos* di Città del Guatemala.

Gli autori
Prof. Marco De Biasio
Prof. Pierre Garofalo

La coordinatrice del progetto
Prof.ssa Lucia Bonato
Lettrice MAE

Benvenuti in Italia

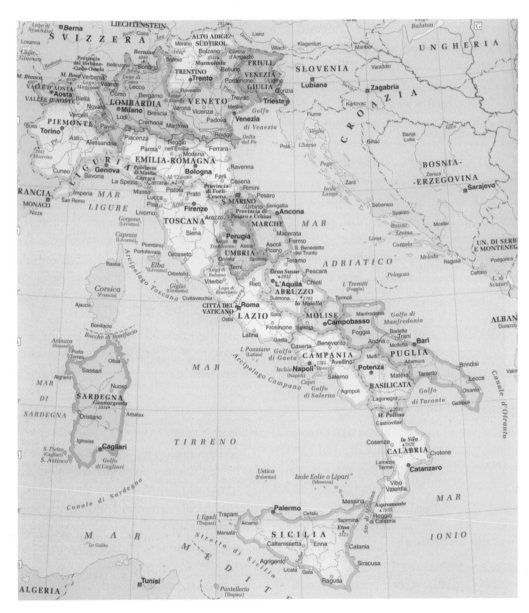

Superficie 301.401 Km² **Abitanti** 59.578.359 **Densità** 192 ab / Km²

Forma di governo: Repubblica parlamentare

Capitale: Roma

Altre città importanti: Milano, Napoli, Torino, Bologna, Firenze, Palermo, Genova

Paesi confinanti: Francia a ovest, Svizzera e Austria a nord, Slovenia a est, Vaticano e San Marino interni allo Stato

Monti principali: Monte Bianco, Monte Rosa, Monte Cervino

Fiumi principali: Po, Adige, Tevere, Arno

Laghi principali: Lago di Garda, Lago Maggiore, Lago di Como, Lago Trasimeno

Isole principali: Sicilia, Sardegna

Clima: mediterraneo - continentale - alpino

Lingue: italiano (ufficiale), sardo, tedesco, ladino, francese, sloveno

Religione: cattolica 90%

Moneta: euro (€)

Geografia

L'Italia, che si trova nel bacino del Mediterraneo, ha un clima abbastanza mite: inverni temperati, estati calde, piogge in primavera e autunno. Il suo territorio è formato per la maggior parte da colline e montagne: le Alpi (nord) e gli Appennini (centro e sud) sono le due catene montuose. Il monte più alto è il Monte Bianco (4810 m). I vulcani più importanti sono: Vulcano e Stromboli, nell'arcipelago delle Eolie; l'Etna, in Sicilia, che è anche il vulcano più alto d'Europa e infine il Vesuvio, nel golfo di Napoli.

Il lago di Garda

Il vulcano Etna

La Pianura Padana è l'unica vasta zona pianeggiante; le altre pianure si estendono tutte lungo il litorale e la loro superficie è limitata.

In Italia ci sono moltissimi fiumi. Il più grande e il più importante è il Po, che nasce dal Monviso e sfocia nel Mare Adriatico.

In Italia ci sono anche laghi molto conosciuti: il più grande di tutti è il Lago di Garda, seguono poi il Lago Maggiore, il Lago di Como, il Lago d'Iseo e il Trasimeno.

L'Italia e il vostro Paese

 1. Riempite la griglia e poi confrontate i dati relativi all'Italia con quelli del vostro Paese.

	l'Italia	il vostro Paese
capitale		
superficie		
popolazione		
lingua		
moneta		
monte più alto		
lago più grande		
fiume più lungo		
isole principali		

2. Trovate le parole corrispondenti alle seguenti definizioni o sinonimi.

1. che ha una grande superficie	a. sfociare
2. non eccessivo, moderato	b. mite
3. sboccare	c. arcipelago
4. senza montagne o colline	d. golfo
5. fascia di terra lungo il mare	e. pianeggiante
6. gruppo di isole vicine	f. esteso
7. insenatura marina	g. litorale

3. Create dei dialoghi secondo il modello.

- *Qual è il fiume più lungo d'Italia?*
- *Non saprei... Forse è il Po?*

1. i paesi che confinano con l'Italia

2. il lago più grande d'Italia

3. da dove nasce il Po

4. le isole principali

5. moneta

6. clima

7. vulcano più alto

8. catene montuose

9. forma di governo

10. abitanti

Il fiume Po

Gli Appennini

Le Alpi

4. Trovate l'opposto dei comparativi e superlativi indicati.

maggiore	ottimo	lontanissimo ....
migliore	meglio	grandissimo ....
ricchissimo	altissimo	vastissimo ....

5. (traccia 1) **Ascoltate il seguente dialogo fra Paolo e Roberto, che si incontrano dopo aver trascorso le vacanze in due diverse località italiane, e indicate l'opzione corretta fra le quattro proposte.**

1. Roberto è andato a Capri

a) da solo e ha alloggiato all'Hotel Quisisana.
b) con i genitori e ha alloggiato all'Hotel Quisisana.
c) da solo e ha alloggiato in una pensione.
d) con i genitori e ha alloggiato in una pensione.

2. Paolo

a) ha sempre preferito andare in montagna.
b) ha sempre preferito andare al mare.
c) non è mai andato al mare.
d) non ha trascorso le vacanze con Valeria.

3. Ad Asiago

a) ad alta quota si può vedere l'aquila reale.
b) è pieno di turisti stranieri.
c) ci sono solo turisti italiani.
d) ci sono pochi turisti italiani.

4. A Capri

a) è vietato tuffarsi dai faraglioni.
b) non ci sono turisti stranieri.
c) ci sono pochi turisti.
d) è bello visitare la Grotta Azzurra.

5. Roberto a Capri

a) passeggiava sulla spiaggia con una turista spagnola.
b) faceva passeggiate da solo.
c) passeggiava con una ragazza canadese.
d) ha conosciuto un gruppo di turisti canadesi.

6. Margareth

a) è una ragazza canadese che studia a Roma.
b) è una ragazza spagnola che studia Lingue Orientali a Napoli.
c) forse andrà a Roma a trovare Roberto.
d) forse andrà a Roma a trovare Paolo.

6. Riordinate il seguente dialogo tra Leonel, che parla delle sue vacanze in Italia, e Monica.

1. *Monica*: **Allora Leonel, ti sei divertito in Italia?**

☐ *Leonel*: Mah, andavo in qualche ristorante tipico oppure facevo una passeggiata nelle piazze e nei viali più suggestivi. Questa, ad esempio, l'ho scattata davanti al Duomo quando era buio. Ti piace?

☐ *Monica*: Che cosa hai fatto? Quali città hai visitato?

☐ *Leonel*: Questo è il Palazzo Ducale. Si trova a Venezia. Per visitarlo ci ho messo un pomeriggio intero.

☐ *Monica*: Me le fai vedere?

☐ *Leonel*: Va bene. Vedi? Questo è il Colosseo, il monumento più importante e conosciuto di Roma e questo è l'Altare della Patria, dov'è la tomba del Milite Ignoto.

☐ *Monica*: E questo?

☐ *Leonel*: Sì, è stata proprio una vacanza fantastica.

☐ *Monica*: Che meraviglia! Vorrei tanto poterci andare anch'io un giorno in Italia!

☐ *Leonel*: Perché dentro ci sono molte cose da vedere: le magnifiche stanze dei Dogi, le enormi sale con i quadri di Veronese e Tintoretto, due grandi pittori del Rinascimento italiano.

☐ *Monica*: E la sera cosa facevi?

☐ *Leonel*: Roma, Firenze, Bologna, Milano e Venezia. Ho visitato quasi tutti i monumenti e ho fatto molte fotografie che ho qui con me.

☐ *Monica*: Come mai così tanto tempo?

Venezia: il Palazzo Ducale

Milano: il Duomo

Roma: l'Altare della Patria

 7. Parliamone insieme.

1. Vi piacerebbe fare un viaggio in Italia? Perché?

2. Quale periodo dell'anno scegliereste?

3. Quali sono le città che visitereste e perché?

4. Parliamo ora del vostro Paese: quali zone o città consigliereste di visitare a un turista straniero e perché?

8. Comprensione. Dopo avere letto i due testi, indicate se le affermazioni si riferiscono a San Gimignano o a Sansepolcro.

A **San Gimignano,** famosa per la vernaccia e per le sue tredici torri, si erge su di un colle che domina la Val d'Elsa. Nell'antichità in questa zona si erano stabiliti gli etruschi. Il borgo prende il nome dal Vescovo di Modena, il quale intorno al X secolo sarebbe miracolosamente apparso sulle mura impedendo ai barbari di accedere al paese.

Si sviluppò nel Medioevo grazie alla sua posizione geografica che costituiva un punto di sosta per numerosi viandanti

San Gimignano

che passavano per la via Francigena. In quei tempi il borgo conobbe una incredibile fioritura di opere d'arte che arricchirono chiese e conventi. Nel centro si può ammirare la Chiesa di S. Maria Assunta, del XII secolo, capolavoro di architettura romanica. Al suo interno troviamo gli affreschi del '300 senese che rappresentano episodi del Vecchio Testamento. Oltre alla Chiesa di S. Agostino, degne di nota sono anche le chiese di S. Pietro, S. Jacopo e S. Bartolo. Piazza della Cisterna con al centro il suo pozzo, è un altro luogo che testimonia il legame di San Gimignano con il suo passato storico. Nel borgo si possono visitare diversi musei: quello etrusco, quello d'arte sacra e la Pinacoteca civica.

Nel 1990 il centro storico di San Gimignano è stato dichiarato dall'UNESCO patrimonio mondiale dell'umanità.

B **Sansepolcro** si erge nella zona sud-orientale della Toscana, al confine con l'Umbria e le Marche.

Il borgo prende il nome di Sansepolcro intorno al X secolo, quando due pellegrini provenienti dalla Palestina avrebbero edificato una cappella al cui interno avrebbero deposto alcune reliquie del Santo Sepolcro. Lo sviluppo del borgo avviene a partire del XIV secolo grazie ai commerci e allo splendore artistico e culturale che possiamo ammirare nel centro storico. Circondato dalla cinta muraria nella quale si distingue la Fortezza di Giuliano da Sangallo, il centro storico di Sansepolcro ospita una successione di stupendi palazzi medioevali e rinascimentali.

Le Chiese più importanti, la Cattedrale romanica e

Sansepolcro

la Chiesa gotica di S. Francesco presentano una raffinata architettura. Purtroppo proprio il centro storico è stato danneggiato varie volte da terremoti, da invasioni esterne o dalle lotte intestine per il potere. Malgrado ciò, le bellezze artistiche si sono potute conservare sino ai nostri giorni. Fra queste, particolare menzione meritano alcuni quadri di Piero della Francesca, uno dei massimi esponenti del Rinascimento, maestro della prospettiva e delle precise soluzioni di luci e colori.

	A	B
1. Famoso per i vitigni, domina una valle dall'alto di un colle.	☐	☐
2. Deve il suo nome ad un alto prelato apparso in sua difesa.	☐	☐
3. Nasce intorno al X secolo in un luogo dove si trovavano dei resti sacri.	☐	☐
4. Sviluppatosi nel Medioevo perché lì sostavano molti viaggiatori.	☐	☐
5. È circondato da mura difensive.	☐	☐
6. Nel centro storico si ergono palazzi medievali e rinascimentali.	☐	☐
7. Nel centro storico c'è una chiesa con affreschi a tema biblico.	☐	☐
8. Il suo centro storico è stato dichiarato patrimonio dell'umanità.	☐	☐

Organizzazione dello Stato

La Costituzione

L'emblema della Repubblica Italiana: la stella, la ruota dentata, i rami di ulivo e di quercia

La Costituzione Repubblicana, che contiene i principi ordinativi dello Stato italiano, è entrata in vigore il 1 gennaio 1948, dopo un referendum che ha visto per la prima volta la partecipazione delle donne al voto popolare. L'articolo 1 sintetizza l'ordinamento costituzionale ed amministrativo: *"L'Italia è una repubblica democratica fondata sul lavoro. La sua sovranità appartiene al popolo, il quale la esercita sotto le forme ed entro i limiti della Carta Costituzionale"*.

La Costituzione riconosce l'uguaglianza di tutti i cittadini (senza distinzione di sesso, di razza, di religione), i diritti inviolabili di ciascuno, la libertà di opinione, la libertà di stampa, e di ogni altro mezzo di comunicazione, la libertà di riunione, di associazione, di culto, nonché la proprietà privata e l'iniziativa economica. Nel testo della Costituzione viene inoltre detto che i cittadini hanno l'obbligo di contribuire al mantenimo dello Stato secondo le possibilità economiche di ognuno.

Enrico De Nicola, nella sua veste di Capo provvisorio dello Stato, firma il testo della Costituzione approvata dall'Assemblea Costituente il 27 dicembre 1947

 1. Riscrivete le frasi senza modificarne il significato.

1. L'Ordinamento dello Stato italiano è regolato dalla Costituzione Repubblicana.

La Costituzione Repubblicana *è regolato l'ordinamento dello Stato italiano.*

2. La Costituzione garantisce ai cittadini l'uguaglianza senza distinzione di sesso, razza e religione.

Secondo la Costituzione *l'uguaglianza senza distinzione di sesso, razza e religione per i cittadini è garanta.*

3. La Costituzione garantisce la libertà di stampa e di ogni altro mezzo di comunicazione.

La stampa e la televisione in Italia *ha la libertà da la Costituzione.*

4. La Costituzione Italiana prevede la contribuzione alle spese pubbliche secondo le possibilità di ognuno.

Ogni cittadino

Il potere e i suoi palazzi

Il Presidente della Repubblica

www.quirinale.it

Il Presidente della Repubblica Italiana è eletto dal Parlamento. Non rappresenta nessuna corrente politica o ideologica e garantisce l'unità della Nazione. Le sue funzioni sono:

• *promulgare le leggi approvate dal Parlamento.*

Il primo Presidente della Repubblica, Luigi Einaudi

• *nominare il Presidente del Consiglio dei Ministri e gli stessi Ministri.*

• *presiedere il Consiglio Superiore della Magistratura.*

• *presiedere le Forze Armate e dichiarare lo stato di guerra.*

La sua carica ha una durata di sette anni con la possibilità di un'eventuale riconferma.

 1. Trovate i sinonimi.

1. garantire	H	a. scelto *choice*
2. sintetizza	G	b. parità
3. mandato	E	c. potere *power*
4. promulgare	D	d. emanare *show*
5. uguaglianza	B	e. nomina *appoint*
6. sovranità	C	f. designare *designate*
7. nominare	F	g. riassume *summarize*
8. eletto	A	h. tutelare *protect*

Il Quirinale, residenza del Presidente della Repubblica

 2. Completate le frasi con le parole dell'esercizio precedente.

1. Fra i compiti del Presidente della Repubblica ci sono quelli di   le leggi approvate dal Parlamento e di   il Presidente del Consiglio.

2. Il Presidente della Repubblica viene   dal Parlamento e il suo   ha una durata di sette anni.

3. L'articolo 1 della Costituzione   l'intero ordinamento costituzionale e amministrativo.

Montecitorio: sede della
Camera dei Deputati

Il Parlamento (www.parlamento.it)

Il Parlamento Italiano è costituito dalla Camera dei Deputati e dal Senato della Repubblica. Rappresenta il potere legislativo ed esercita un controllo sulla Pubblica Amministrazione.

I Deputati sono eletti a suffragio universale, con votazione diretta e segreta esercitata da tutti i cittadini che abbiano compiuto la maggiore età. I Senatori sono eletti dai cittadini che hanno compiuto il venticinquesimo anno di età. Sia i Deputati che i Senatori hanno un mandato di cinque anni. *18 to vote for house/25 for sena*

Il Governo (www.governo.it)

Il Consiglio dei Ministri è composto dal Presidente del Consiglio e dai Ministri. Il Presidente del Consiglio guida la linea politica del governo coordinando l'azione dei Ministri. Il Consiglio dei Ministri propone alcuni disegni di legge che il Parlamento può approvare o meno; ha il potere di nominare i vertici dell'Amministrazione dello Stato, di intervenire sulle questioni di ordine pubblico e su quelle riguardanti la politica interna ed internazionale.

Palazzo Madama: sede del Senato

Palazzo Chigi: sede del Governo

Emiciclo Montecitorio

3. Trasformate al plurale le parti in corsivo.

1. *È una questione istituzionale riguardante* il Governo.

2. *Il senatore* di questo partito *è stato eletto* a grande maggioranza.

3. *Non mi piace la legge proposta* da questo ministro. Secondo me *si dovrebbe* modificare.

4. La Costituzione democratica deve garantire *la libertà del cittadino*.

5. *L'ultimo mese* di questo Governo *è stato* molto *difficile*.

La Magistratura

La Magistratura, che svolge il compito di far rispettare le leggi, costituisce un potere autonomo ed indipendente. L'ordinamento giudiziario esclude qualsiasi tipo di gerarchia dato che i giudici si distinguono fra loro solo in base alle funzioni che esercitano.

Giovanni Falcone e Paolo Borsellino: giudici anti-mafia assassinati nel 1992

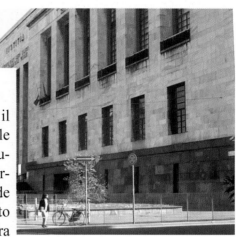

Il Palazzo di Giustizia di Milano

4. Questionario di comprensione.

1. Da chi viene eletto il Presidente della Repubblica? Quali funzioni svolge? Quanto tempo dura il suo mandato?

2. Quali organi compongono il Parlamento Italiano? Da chi vengono eletti e come? Quali funzioni esercita?

3. Da chi è composto il governo? Quale ruolo svolge?

4. Qual è il ruolo della Magistratura?

L'amministrazione locale

5. Scegliete l'opzione corretta fra le due proposte.

La **Repubblica/Monarchia** Italiana è **costituita/suddivisa** in 20 regioni, 110 province e 8101 comuni. **Le/I** regioni sono istituzioni autonome legate all'amministrazione del territorio e **quindi/invece** possiedono poteri **propri/suoi** e funzioni sancite **per la/dalla** Costituzione. Le Regioni hanno **un'/un** autonomia finanziaria che **viene/vengono** coordinata con la finanza dello Stato.

Tutte/Ogni regione ha **un/uno** ordinamento proprio, **il quale/la quale** sancisce le norme organizzative da seguire in base **di/ai** limiti imposti dalla Costituzione e dalle **legge/leggi** della Repubblica. In particolare, le regioni godono di autonomia legislativa **nei/negli** seguenti ambiti: sanità, istruzione e ricerca scientifica, **polizia/polizie** locale, formazione professionale, commercio, turismo e agricoltura a livello regionale.

6. Consultando la cartina, scrivete delle frasi secondo il modello.

Lazio / Roma
Il Lazio, il cui capoluogo è Roma, confina con la Toscana,
l'Umbria, le Marche, l'Abruzzo, il Molise e la Campania.

1. Veneto / Venezia
_____

2. Toscana / Firenze
_____

3. Campania / Napoli
_____

4. Lombardia / Milano
_____

5. Piemonte / Torino
_____

6. Puglia / Bari
_____

Il simbolo del Comune di Roma: la
Lupa che allatta Romolo e Remo

7. (traccia 2) Ascoltate il brano sulla tradizione del palio di Siena e completate le frasi con le parole mancanti.

1. A ciascun cavallo è associata una delle 17 contrade o quartieri della città, anche se sono 10 quelle sorteggiate _____

2. Il giorno del Palio _____ è davvero unica.

3. A questo punto, si dovrà aspettare che _____ e che quello sorteggiato per la rincorsa, cominci a galoppare.

4. Tre sono i giri della piazza che il cavallo _____ deve compiere per giungere al traguardo finale.

Nascita dello stato italiano

www.risorgimento.it

Malgrado la sua grande tradizione storico-culturale, l'Italia raggiunge l'indipendenza nazionale solamente nel secolo XIX dopo un periodo di insurrezioni popolari conosciuto come Risorgimento. Questo periodo di lotta politica si sviluppa grazie all'attività delle società segrete (la Massoneria e la Carboneria) e della "Giovine Italia", un movimento politico fondato nel 1831 dal celebre patriota Giuseppe Mazzini con lo scopo di intraprendere una lotta di liberazione nazionale seguendo una linea politica che coinvolga tutti i settori della società che aspirano a combattere per un'Italia libera e repubblicana. Dal 1848, i moti rivoluzionari cominciano a rafforzarsi attraverso una serie di manifestazioni di massa per l'indipendenza nazionale.

A questo punto entra in scena Camillo Benso conte di Cavour il quale, con grande astuzia diplomatica, riesce a

Camillo Benso conte di Cavour

organizzare un'alleanza politico-militare con la Francia di Napoleone III per scatenare una guerra contro l'Austria.

Nel maggio 1860, l'eroe nazionale italiano Giuseppe Garibaldi, con circa 1.000 uomini, salpa da Quarto (presso Genova) alla volta di Marsala per promuovere un'insurrezione in Sicilia contro il Regno Borbonico. In poco tempo Ga-

ribaldi conquista l'Italia meridionale arrivando sino a Napoli.

Cavour decide di sfruttare questa inattesa situazione politico-militare mobilitando l'esercito piemontese il quale, dopo avere sconfitto le truppe pontificie nelle Marche, si congiunge con quello di Garibaldi nei pressi di Teano. Vittorio Emanuele II viene nomi-

Giuseppe Garibaldi

nato re d'Italia nel marzo del 1861, con la conseguente formazione di una monarchia costituzionale-parlamentare. La prima capitale del Regno d'Italia è Torino; nel 1865 il ruolo di capitale passa a Firenze.

La liberazione del Veneto dal giogo austriaco si ottiene con la III Guerra d'Indipendenza, che si conclude con la vittoria italiana grazie anche all'alleanza con la Prussia. All'annessione del Lazio si oppone la politica intransigente di Napoleone III, alleato del potere temporale del Papa.

Il 20 settembre 1870, le truppe italiane entrano a Roma e nel maggio del 1871 il Parlamento italiano approva la legge delle Guarentigie, con la quale si concretizza la formula "libera Chiesa in libero Stato" che garantisce da un lato la libertà di esercitare il culto cattolico, dall'altro proclama una volta per tutte la laicità dello Stato. Nello stesso anno Roma diventa capitale del Regno.

1. Questionario di comprensione.

1. Quali sono le prime forme di lotta che caratterizzano il Risorgimento Italiano?

2. Che cos'è la Giovine Italia, quali erano i suoi propositi e da chi è stata fondata?

3. Che cosa riesce a fare Camillo Cavour per via diplomatica?

4. Contro chi combattono i Mille di Garibaldi e come si sviluppa la loro guerra di liberazione?

5. Chi assume il titolo di Re d'Italia e quando?

6. Quali sono i due ultimi stati italiani ad essere annessi?

7. Quali sono state le tre capitali dell'Italia unita?

2. Trovate nel testo relativo alla nascita dello Stato italiano le espressioni che si possono sostituire con le seguenti.

Giuseppe Mazzini
(1805-1872)

obiettivo - irremovibile - dimostrazioni - trarre beneficio da - provocare - si mette in pratica - scaltrezza - oppressione - del sud - avviare - si unisce - vicino a - decreta - conquista - vittorioso - sommosse - approssimativamente - ottiene

 3. Correggete le affermazioni inesatte secondo il modello proposto.

Garibaldi ha fondato la "Giovine Italia".
- Non è vero che è stato Garibaldi a fondare la "Giovine Italia".
- Infatti, è stato Mazzini.

Re Vittorio Emanuele II (1820-1878)

1. La liberazione del Veneto si ottiene grazie all'alleanza con la Francia.

2. L'Italia ha raggiunto l'unità prima del 1860.

3. La legge delle Guarentigie riconosce al Pontefice la massima autorità politica.

4. L'esercito piemontese si congiunge con quello di Garibaldi vicino a Milano.

5. Garibaldi combatte in Sicilia contro il dominio austriaco.

6. L'ultimo stato ad essere annesso è la Lombardia.

7. Camillo Benso conte di Cavour viene nominato re d'Italia nel marzo del 1861.

8. La prima forma di governo dell'Italia unita è stata una monarchia assoluta.

4. Completate la biografia di Mazzini con le seguenti parole: *amnistia, propaganda, indipendenza, resistenza, estero, promuovere, Carboneria, esilio, Sardegna, repubblica*

L'impegno politico di Mazzini inizia sin dalla gioventù con l'adesione alla   .
Tuttavia ben presto ne rifiuta i metodi e fonda la "Giovine Italia" con il chiaro obiettivo di ottenere l'   del Paese e di trasformarlo in una   democratica. Durante il suo primo soggiorno all'   , da Marsiglia invia un telegramma al re Carlo Alberto invitandolo a   una rivoluzione nazionale. Ma il re di   non collabora; Mazzini decide dunque di organizzare un'intensa   rivoluzionaria attraverso la "Giovine Italia". Il 5 luglio 1836 viene arrestato a Parigi e costretto all'   a Londra dove vive in miseria, scrivendo opere letterarie di contenuto fortemente politico. Nel 1848 ritorna in Italia e partecipa alla   della Repubblica guidata da Garibaldi. Dopo la caduta della Repubblica è costretto nuovamente all'esilio. Quando nel 1870 l'esercito italiano entra a Roma, Mazzini è agli arresti a Palermo; torna libero poco dopo grazie ad un'   .
Muore a Pisa nel 1872.

La bandiera degli italiani

Il Tricolore italiano nasce a Reggio Emilia il 7 gennaio 1797 come bandiera della Repubblica Cispadana (approssimativamente l'attuale Emilia-Romagna). Le tre fasce di uguali dimensioni si ispirano al modello giacobino della Rivoluzione francese portato in Italia dalle armate napoleoniche alla fine del XVIII secolo.

Le truppe italiane che in quel periodo sono alleate di Napoleone Bonaparte hanno stendardi simili. La Legione Lombarda adotta i colori bianco, rosso e verde perché sono presenti nei simboli istituzionali di Milano. La croce rossa su campo bianco è infatti il simbolo del comune di Milano, mentre il verde è il colore delle uniformi delle Guardie Civiche milanesi. Nelle bandiere dei soldati dell'Emilia e della Romagna ci sono gli stessi colori. Per questo motivo la Repubblica Cispadana decide di adottarli nella bandiera ufficiale dello Stato; il verde rappresenta le pianure, il bianco la neve delle montagne, il rosso il sangue dei caduti per la Patria.

1. Scegliete l'opzione corretta fra quelle proposte.

1. Il Tricolore italiano nasce a

- ☐ a. Reggio Calabria.
- ☐ b. Roma.
- ☐ c. Reggio Emilia.

2. Il verde, il rosso e il bianco formano il tricolore

- ☐ a. della Repubblica di Reggio Emilia.
- ☐ b. della Bandiera Cispadana.
- ☐ c. dell'Esercito Napoleonico.

3. Le repubbliche che adottano bandiere caratterizzate da tre fasce uguali si ispirano a

- ☐ a. ideali giacobini.
- ☐ b. ideali assolutistici.
- ☐ c. ideali socialisti.

4. Quale esercito affianca i reparti militari italiani alla fine del XVIII secolo?

- ☐ a. Quello di Reggio Emilia.
- ☐ b. Quello di Napoleone Bonaparte.
- ☐ c. Quello di Napoleone III.

2. Descrivete la bandiera del vostro Paese e dite che cosa simboleggiano i colori. In biblioteca o in Rete, potrete risalire all'origine della bandiera e dei simboli della vostra nazione.

....

....

....

....

....

3. Interrogativo e dimostrativo. Completate gli spazi vuoti con *qual*, *quale/i* o *quello/a/i/e*.

Nelle città italiane i nomi di vie e strade ricordano date e nomi della nostra storia. ▮▮▮
▮▮▮ ricorrono più frequentemente? Tra i nomi, sicuramente ▮▮▮ di Garibaldi, e poi
▮▮▮ di Mazzini e Cavour. Volete sapere ▮▮▮ è il re più ricordato?
Certamente Vittorio Emanuele II. E ▮▮▮ data emerge tra tutte?
▮▮▮ del 20 settembre, che ricorda la breccia di Porta Pia e l'annessione di Roma al Regno d'Italia.
Stranamente si vedono poco ▮▮▮ della liberazione, il 25 aprile del 1945, e della festa
della Repubblica, il 2 giugno del 1946.

Fratelli d'Italia, inno nazionale della Repubblica Italiana

Spiegazione del testo

Fratelli d'Italia,
l'Italia s'è desta,
dell'elmo di Scipio
s'è cinta la testa.
Dov'è la Vittoria?
Le porga la chioma,
ché schiava di Roma
Iddio la creò.

Stringiamci a coorte!
Siam pronti alla morte
(bis)
Italia chiamò.

Noi fummo da secoli
calpesti, derisi,
perché non siam popolo,
perché siam divisi.
Raccolgaci un'unica
bandiera, una speme:
di fonderci insieme
già l'ora suonò.

Stringiamci a coorte!
Siam pronti alla morte;
Italia chiamò.

Dall'Alpe a Sicilia,
dovunque è Legnano;
ogn'uom di Ferruccio
ha il core e la mano;

Stringiamci a coorte!
Siam pronti alla morte;
Italia chiamò.

Già l'Aquila d'Austria
Le penne ha perdute.
Il sangue d'Italia,
il sangue Polacco,
bevé col Cosacco,
ma il cor le bruciò.

Stringiamci a coorte!
Siam pronti alla morte;
Italia chiamò

Testo di Goffredo Mameli, 1847 (musica di Michele Novaro)

• *Fratelli d'Italia / l'Italia s'è desta / dell'elmo di Scipio s'è cinta la testa* – La tensione ideale e patriottica si sveglia nella guerra contro l'invasore austriaco e l'Italia indossa l'elmo di guerra del generale romano Publio Cornelio Scipione, detto l'Africano, vincitore della seconda Guerra Punica.

• *Dov'è la vittoria / le porga la chioma, ché schiava di Roma / Iddio la creò* – Per volontà divina la dea Vittoria offre la sua chioma a Roma in segno di sottomissione come facevano le schiave nell'antichità.

• *Stringiamci a coorte / siam pronti alla morte / siam pronti alla morte / l'Italia chiamò* – Nel momento in cui la Patria chiama alla guerra contro l'invasore austriaco, gli italiani si stringono a "coorte", la formazione militare dell'esercito romano.

• *Noi fummo da secoli calpesti, derisi, perché non siam popolo, perché siam divisi / Raccolgaci un'unica bandiera, una speme / di fonderci insieme già l'ora suonò* – Mameli esorta gli italiani ad unirsi dopo secoli di divisioni interne e lotte fratricide. L'Italia del 1848 era ancora divisa in sette stati: Regno di Sardegna, Granducato di Toscana, Regno Lombardo-Veneto, Ducato di Parma, Ducato di Modena, Stato della Chiesa, Regno delle due Sicilie. *Dall'Alpi a Sicilia / dovunque è Legnano* – Riferimento alla Battaglia di Legnano del 1176, dove i comuni italiani guidati da Alberto da Giussano hanno sconfitto Federico Barbarossa. *Già l'Aquila d'Austria / le penne ha perduto. / Il sangue d'Italia / il sangue Polacco, bevé, col Cosacco, / ma il cor le bruciò* – L'aquila è un simbolo che compare nello stemma asburgico dell'Austria. Il cosacco rappresenta la Russia con cui l'Austria ha invaso la Polonia. Ma il sangue dei popoli oppressi (italiano e polacco) ha annientato il cuore dell'aquila asburgica.

Goffredo Mameli (1827-1849).

Nasce a Genova il 5 settembre 1827. Nel 1847 entra a far parte della corrente politica di Giuseppe Mazzini e sempre in quell'anno compone *Fratelli d'Italia*. Il 9 feb-

braio 1849, giorno in cui viene proclamata la Repubblica Romana, è ferito ad una gamba dai soldati francesi che assediano la capitale. Muore, il 6 luglio 1849 per le conseguenze della ferita.

1. Completate le seguenti frasi coniugando il verbo fra parentesi al modo e al tempo opportuno.

1. L'Italia (*essere*) .... pronta a entrare in guerra contro l'Austria.

2. Nell'antica Roma, alle schiave (*venire*) .... tagliati i capelli, mentre le donne libere li (*portare*) .... lunghi.

3. La Dea Vittoria, per volere divino, è chiamata affinché le (*essere*) .... tagliata la chioma.

4. Mameli (*evidenziare*) .... la drammatica situazione dell'Italia che nel 1848 (*trovarsi*) .... divisa in sette stati.

5. Secondo l'Inno di Mameli era necessario che l'Italia (*riunirsi*) .... sotto una sola bandiera.

6. Mameli (*essere*) .... mazziniano e (*ispirarsi*) .... agli ideali mazziniani repubblicani.

7. L'Austria e la Russia (*invadere*) .... rispettivamente l'Italia e la Polonia.

8. Goffredo Mameli (*comporre*) .... *Fratelli d'Italia* nello stesso anno in cui (*aderire*) .... alla corrente politica di Mazzini.

2. Di cosa tratta l'Inno del vostro Paese? Quando è stato scritto? Chi ne è l'autore? Ricercate maggiori informazioni in biblioteca o in Internet.

....

....

....

....

....

....

L'azienda Italia

Il boom industriale del dopoguerra

Il secondo dopoguerra è per l'Italia un periodo di grande dinamismo che permette di completare il processo di trasformazione da un sistema socio-economico essenzialmente agricolo ad una grande economia industriale. Il progresso iniziato alla fine degli anni '40 risulta tanto più importante in quanto il Paese non può contare su grandi risorse in termini di materie prime e di fonti energetiche, per le quali è in larga parte dipendente dall'estero. Il boom economico è favorito da una serie di fattori: il sistema delle imprese pubbliche iniziato già negli anni '30, la riconversione dell'industria bellica in industria civile, la disponibilità di capitali assicurata anche dal piano Marshall, la progressiva liberalizzazione degli scambi commerciali, il desiderio di ricostruzione e rinnovamento che anima il Paese reduce da due conflitti mondiali. Il cambiamento interessa inizialmente soprattutto le regioni settentrionali che hanno come motore il triangolo industriale Torino - Milano - Genova. Inoltre, per colmare il divario economico e di sviluppo tra il Nord e il Sud del Paese, negli anni '50 il Governo istituisce la Cassa per il Mezzogiorno con lo scopo di finanziare una rete di infrastrutture e progetti di sviluppo industriale. La rapida industrializzazione del Nord accelera il declino dell'agricoltura associato al massiccio esodo dalle campagne verso le città e dal Sud verso il Nord. Questo fenomeno di migrazione interna che contraddistingue gli anni 1950/70 cambia profondamente l'aspetto sociale del Paese omogeneizzando usi, costumi e lingua che fino ad allora erano ancora molto diversi.

Il nuovo benessere

Il boom economico degli anni '60 determina un nuovo benessere per tutte le classi sociali. Le fabbriche, assicurando un lavoro e quindi un reddito ai ceti meno abbienti, garantiscono un maggior potere d'acquisto per tutti; questo si traduce in un poderoso aumento dei consumi e nella larga diffusione di beni e servizi prima destinati ad una esigua minoranza. Tra i simboli della nuova ricchezza, alcuni prodotti italiani sono emblematici di quest'epoca: la Vespa, la Fiat 500, la lavatrice e il frigorifero, la televisione e infine il telefono.

Le ferie pagate, un diritto riconosciuto ai lavoratori sul finire degli anni '30, si generalizzano e si allungano progressivamente; il turismo diventa un fenomeno di massa e si trasforma in una delle principali entrate per le casse dello Stato.

I cambiamenti sociali

Le rivolte studentesche e operaie del '68 e le conquiste del movimento femminista portano cambiamenti radicali sul piano sociale: l'ingresso massiccio delle donne nel mondo del lavoro e il riconoscimento di pari opportunità tra i due sessi introducono nuove dinamiche sociali con forte impatto sulle strutture famigliari. Le nuove leggi registrano mutamenti sociali in atto già da tempo: il divorzio (1970 e referendum 1974), la maggiore età abbassata da 21 a 18 anni (1975) e la legalizzazione dell'aborto terapeutico (1978).

Produzione di spaghetti

La crisi energetica

Il petrolio, abbondante e inizialmente a prezzo contenuto, è il carburante di 30 anni di una crescita davvero prodigiosa. Tuttavia a partire dal '73 i paesi arabi produttori lo utilizzano come "arma" politica contro l'occidente: il prezzo aumenta sensibilmente, la disponibilità diminuisce e la crisi si generalizza. Di conseguenza cambiano i consumi e cambiano i sistemi produttivi, grazie anche alle nuove tecnologie: la robotica e l'informatica nascente accelerano la trasformazione del mercato e del lavoro introducendo l'idea del villaggio globale. Nel frattempo, i meccanismi di tutela dei lavoratori e dell'ambiente fanno lievitare il costo del lavoro, cosicché la produzione si delocalizza verso paesi in via di sviluppo le cui grandi risorse sono la manodopera a basso costo e una legislazione tollerante rispetto all'impatto ambientale dell'industria. In Italia, come nel resto dell'Europa occidentale, la crescita produttiva rallenta anche se lo sviluppo del terziario attenua gli effetti della crisi e continua a distribuire ricchezza e benessere.

La struttura produttiva

Come nella maggior parte degli altri paesi a economia avanzata, il settore terziario è ora il principale motore economico con il 68% del PIL (Prodotto Interno Lordo); i suoi punti di forza sono il commercio e il turismo. Il settore secondario (comparti meccanico, tessile e abbigliamento) produce il 30% del PIL. L'agricoltura produce solo il 2% del PIL.

ENI (settore energetico), *ENEL* (elettricità), *Telecom Italia* (telefonia), *FIAT* (auto, veicoli industriali e spaziali), *Pirelli* (pneumatici), *Generali* (assicurazioni), *Finmeccanica* e *Merloni* (elettrodomestici), *Barilla* e *Ferrero* (alimentari), *Benetton* (abbigliamento) figurano tra i marchi più noti all'estero.

Tutti in borsa

Sul finire degli anni '80 si fa strada una nuova politica che ridimensiona il ruolo dello Stato nell'economia; si creano così le premesse per un rapido processo di privatizzazione delle imprese di monopolio o a forte partecipazione pubblica. Questo fenomeno interessa tutto il decennio degli anni '90. È un momento di vera euforia collettiva che segna un cambiamento epocale del settore finanziario: non solo i grandi capitali ma anche i piccoli risparmiatori italiani si avvicinano in massa alla Borsa che lievita anche grazie al nuovo mercato dei titoli informatici.

L'entusiasmo è tale che la capitalizzazione del mercato azionario passa dai 171,6 miliardi del 1995 ai quasi 448 miliardi del 2002 (36,6% del PIL). La Borsa di Piazza Affari di Milano diventa il quinto mercato finanziario europeo. Tuttavia già sul finire del 2002 le difficoltà del mercato internazionale provocano forti perdite e una drastica riduzione degli investimenti borsistici.

L'Italia e l'Unione Europea

www.europa.eu.int.

1. Leggete il testo e poi trasformate al Passato Prossimo i verbi evidenziati in neretto.

L'Italia ha contribuito in modo determinante alla creazione e allo sviluppo dell'Unione Europea, fin dalla sua adesione come membro fondatore. Il processo di unificazione si è realizzato in varie tappe.

Nel 1950 il ministro degli Esteri francese Robert Schuman **propone** l'integrazione delle industrie del carbone e dell'acciaio dell'Europa occidentale. Da questo invito **nasce** la Comunità europea del carbone e dell'acciaio (CECA). I sei paesi membri sono Belgio, Germania Ovest, Lussemburgo, Francia, Italia e Paesi Bassi.

La CECA **si rivela** un accordo soddisfacente che **incoraggia** il proseguimento dell'integrazione coinvolgendo altri settori dell'economia. **Si arriva** così al Trattato di Roma (1957), che **formalizza** l'istituzione dell'EURATOM (Comunità europea dell'energia atomica) e della CEE (Comunità economica europea), con cui **si crea** la prima forma di "mercato comune" nel quale ogni Stato **si impegna** a sopprimere le proprie barriere commerciali.

Con la fusione delle istituzioni delle tre Comunità europee, che **avviene** nel 1967, **si istituiscono** un Consiglio dei Ministri e un Parlamento europeo. Nel 1979 **ci sono** le prime elezioni dirette che **permettono** ai cittadini di scegliere i candidati per il Parlamento Europeo. Da quell'anno le elezioni europee **si tengono** ogni cinque anni a suffragio universale diretto. Nel 1992 **si approva** il trattato di Maastricht che prevede nuove forme di collaborazione fra i Paesi membri in vari settori quali difesa, giustizia e affari interni, cultura e che **stipula** la creazione dell'attuale Unione Europea (UE). Il trattato **sancisce**

La sede del Parlamento europeo di Strasburgo

la libera circolazione di beni, servizi, capitali e l'adozione progressiva della moneta unica. Il trattato di Schengen **rende** sempre più facile la libera circolazione dei cittadini in ambito comunitario, abolendo i controlli dei passaporti ai posti di frontiera interni dell'Unione. Ciò **implica** maggiori possibilità di spostamento anche nello studio e nella formazione. Dal 1987, ad esempio, l'Unione Europea **finanzia** il progetto Erasmus che offre borse di studio all'estero per giovani universitari.

Nel corso degli anni '90 l'Unione Europea **intensifica** i rapporti fra gli stati membri in materia di accordi commerciali da intraprendere e di politiche comuni da adottare. Inoltre le relazioni diplomatiche dell'Unione Europea con il resto del mondo **diventano** molto importanti. Dopo l'allargamento del 1° maggio 2004, data in cui all'UE aderiscono altri dieci paesi (Malta, Cipro e otto Paesi dell'Est europeo), il primo gennaio 2007 entrano a fare parte del gruppo anche Bulgaria e Romania. L'Europa a 25 costituisce un mercato di circa 500 milioni di persone.

Ricorda che il Passato Prossimo si forma con il Presente Indicativo di *essere* e *avere* seguito dal Participio Passato del verbo.

Es. *Io ho comprato un libro. Io sono andato/a al ristorante.*
In genere i verbi che indicano un movimento, un fatto (*andare*, *arrivare*, *nascere*, ecc.) o una trasformazione fisica (*diventare*, *crescere*, *dimagrire* ecc.) sono coniugati con l'ausiliare **essere**, per il quale è necessario concordare il participio passato con il genere e il numero del soggetto. L'ausiliare **essere** si usa anche con i verbi riflessivi, reciproci e pronominali, con la forma passiva e con le forme impersonali (*piacere*, *sembrare*, ecc.).
*Giulio si è svegliat**o** e poi è andat**o** a fare colazione.* (desinenza **-o** per il singolare maschile)
*Giulio e Marco si sono incontrat**i** al bar e poi sono venut**i** a casa mia.* (desinenza **-i** per il plurale maschile)
*Carla si è preparat**a** e poi è uscit**a**.* (desinenza **-a** per il singolare femminile)
*Carla e Maria sono entrat**e** e si sono sedut**e**.* (desinenza **-e** per il plurale femminile)

 2. *Essere* o *Avere*? Inserite l'ausiliare.

1. (Io) ....Ho........ visitato il Palazzo dell'Europa a Strasburgo. visitai

2. ......Hai...... letto l'intervista al Presidente? Ti ....è........ piaciuta? leggesti -

3. Nell'UE i rapporti fra gli stati si .....sono..... intensificati. intensificarono

4. L'Europa ....è........ cambiata molto negli ultimi 20 anni. cambiò

5. Gli accordi di Schengen ......sono.... entrati in vigore il 26/3/1995 e .....hanno. modificato lo stile di vita degli europei. entrarono - modificarono

6. Il Parlamento non ....è......... sembrato ottimista sulle sorti della Costituzione europea. sembrò

La bandiera europea

La bandiera dell'Unione Europea è costituita da un cerchio di dodici stelle gialle su un campo blu; rappresenta l'armonia dei popoli europei.

Il numero delle stelle non corrisponde al numero degli stati membri ma indica la perfezione, la completezza e la stabilità.

3. Abbinate gli elementi delle due colonne.

1. La storia della bandiera europea	a. la bandiera dal 1986.
2. Il numero dodici	b. comincia a metà degli anni Cinquanta.
3. Il cerchio	c. è adottata da tutti i capi di Stato e di governo dell'UE.
4. Il Consiglio d'Europa	d. è simbolo di completezza.
5. Nel 1985 la bandiera	e. rappresenta l'unità dei popoli europei.
6. Tutte le istituzioni europee hanno adottato	f. ha incoraggiato le altre istituzioni europee ad adottare la medesima bandiera.

L'Euro: la moneta unica europea

www.euro.tesoro.it

Nel 1992 l'istituzione dell'Unione Economica e Monetaria (UEM) è stato il primo passo intrapreso dai paesi dell'Unione Europea per permettere la successiva introduzione dell'Euro. La moneta unica è stata adottata da dodici Paesi dell'Unione Europea (Belgio, Germania, Grecia, Spagna, Francia, Irlanda, Italia, Lussemburgo, Paesi Bassi, Austria, Portogallo e Finlandia) a partire dal 1° gennaio 2002 e successivamente anche da Cipro e Malta a partire dal 1° gennaio 2008.

Moneta da 1 euro

Banconota da 10 euro

Le monete hanno una faccia comune per i Paesi membri e una faccia nazionale, diversa per ogni Paese.

Le banconote sono uguali per tutti i Paesi membri dell'UE.

1. Riordinate le seguenti frasi.

1. è - Unione - nata - negli - alcuni - Cinquanta - Europea - commerciale - accordo - da - fra - un - paesi - membri - anni - L'- dell'- Europa.

L'Unione Europea è nata negli anni Cinquanta fra paesi membri dell' Europa [da un accordo commerciale] alcuni.

2. cerchio - di - Continente - stelle - rappresenta - Il - l' - del - Vecchio - unità

Il cerchio di stelle rappresenta l'unità del Vecchio Continente

3. gennaio - primo - l' - 2002 - sostituito - Dal - valute - le - Euro - ha - nazionali

Dal primo gennaio 2002 l'Euro ha sostituito le valute nazionali.

Gli italiani e l'euro

Per gli italiani il passaggio dalla Lira all'Euro non è stato affatto indolore: si sono infatti registrati dei rincari che hanno interessato diverse fasce di consumo. Nell'arti- *colo che segue si parla dello "Sciopero della spesa", indetto per protestare contro l'aumento dei prezzi dovuti all'adeguamento alla moneta unica europea.*

Le associazioni dei consumatori: «Niente acquisti per 24 ore»

Al via lo sciopero della spesa contro i rincari

Oggi presidio di protesta davanti a Montecitorio, manifestazioni in varie città e una guida pratica su come spendere meno

Raising prices

ROMA - Oggi niente spesa, si sciopera contro il caro-vita. L'invito arriva dalle associazioni dei consumatori che hanno proclamato una giornata di protesta contro l'aumento indiscriminato di prezzi e tariffe seguito all'introduzione dell'euro. Il secondo giorno di astensione dai consumi, dopo quello di luglio, si è aperto alle 10 con un sit-in davanti al Parlamento, in piazza Montecitorio, per chiedere ai politici impegni seri per combattere l'inflazione e bloccare le tariffe.

CONSIGLI PER LA SPESA INTELLIGENTE - Ma per oggi le associazioni dei consumatori hanno anche preparato una guida pratica per informare i cittadini su come spendere meno e dove è più conveniente fare acquisti. Le informazioni sono diffuse con volantini nei mercati e davanti ai negozi e ai centri commerciali, attraverso picchetti di volontari. «È possibile fare la spesa spendendo la metà» è il motto dell'Intesa Consumatori (Adoc, Adusbef, Codacons e Federconsumatori), promotrice dell'iniziativa. Alla manifestazione aderiscono anche altre associazioni, partiti e sindacati come la Casa del Consumatore, Cgil, Confsal, Ulivo, Associazione Agenti Assicurativi, Uil Pensionati.

2. Questionario di comprensione.

	V	F
1. Lo sciopero è stato fatto contro l'aumento dei prezzi.	☐	☐
2. L'iniziativa è stata intrapresa dalle associazioni dei commercianti.	☐	☐
3. Il rincaro non è dovuto all'introduzione dell'Euro.	☐	☐
4. Il sit-in di protesta è stato convocato davanti alla sede del Governo.	☐	☐
5. Le associazioni dei consumatori hanno diffuso una guida informativa.	☐	☐
6. Alla manifestazione hanno aderito solo le associazioni dei consumatori.	☐	☐

FONTE DATI: ALTROCONSUMO			BAR in centro		CINEMA	CD MUSICALE	TRASPORTI	
			Caffè	Cappuc-cino	Biglietto intero	Titolo in classifica	Parcheggio 1 ora	Biglietto autobus
BARI	2008	euro	0,70	1,05	6,50	20,00	1,41	0,77
	inizio 2007	euro	0,67	1,00	6,20	19,50	1,36	0,77
	differenza	%	4,5%	5,0%	4,8%	3,9%	3,7%	0,0%
MILANO	2008	euro	0,90	1,30	7,50	20,60	2,00	1,00
	inizio 2007	euro	0,85	1,25	7,23	19,00	1,65	0,77
	differenza	%	5,9%	4,0%	3,7%	8,4%	21,2%	29,9%
ROMA	2008	euro	0,75	0,95	7,50	20,60	1,73	0,77
	inizio 2007	euro	0,67	0,85	7,23	19,00	1,55	0,77
	differenza	%	11,9%	11,8%	3,7%	8,4%	11,6%	0,0%
TORINO	2008	euro	0,85	1,15	6,50	20,60	1,40	0,90
	inizio 2007	euro	0,83	1,1	6,20	19,50	1,25	0,77
	differenza	%	2,4%	4,5%	4,8%	5,7%	12,0%	16,9%
MEDIA	2008	euro	0,80	1,12	7,00	20,45	1,63	0,86
	inizio 2007	euro	0,75	1,05	6,7	19,25	1,46	0,77
	differenza	%	8,05%	6,3%	4,25%	6,6%	12,1%	11,7%

3. Rispondete alle seguenti domande consultando i dati presenti nella tabella.

1. Dall'inizio del 2007 il biglietto dell'autobus è aumentato di più a Milano o a Torino?

2. Di quanti euro è aumentato a Roma il prezzo medio di un CD musicale?

3. Qual è la città in cui il cappuccino è meno caro?

4. L'aumento del prezzo del caffè è stato più consistente a Roma o a Torino?

5. Qual è il settore in cui c'è stata la maggiore percentuale di rincaro?

4. Lessico. Unite i sinonimi.

1. stime	a. comprare
2. rincaro	b. beneficio
3. agevolazioni	c. implicare
4. collegamento	d. previsioni
5. comportare	e. uscite
6. vantaggio	f. facilitazioni
7. spese	g. rialzo
8. acquistare	h. connessione

5. (traccia 3) **Ascoltate il dialogo, fra due amici che parlano dei benefici e delle diffi-coltà prodotte dall'Unione Europea, e indicate se le affermazioni sono vere o false.**

	V	F
1. L'introduzione dell'Euro ha prodotto un generale aumento dei prezzi.	☐	☐
2. Per Silvia determinate spese sono diventate un lusso.	☐	☐
3. Finita la scuola superiore, Stefano andrà a lavorare in Inghilterra.	☐	☐
4. L'Unione Europea ha creato ulteriori difficoltà per la circolazione delle persone.	☐	☐
5. Finita la scuola superiore, Silvia andrà a studiare a Parigi.	☐	☐
6. L'Agenzia Europea dell'Ambiente esiste dall'inizio degli anni Ottanta.	☐	☐

 6. Unite le frasi con uno dei connettori suggeriti, come nell'esempio.

1. Il costo della è vita aumentato	*invece*	a. bisogna essere fiduciosi.
2. Il petrolio scarseggia,	*però*	b. gli stipendi sono rimasti invariati.
3. Tutti si lamentano	*comunque*	c. il risparmio riscopre gli immobili.
4. Ci vuole tempo per cambiare	*perciò*	d. nessuno vuole cambiare stile di vita.
5. La Borsa è scesa parecchio	*allora*	e. non ci sono ancora vere alternative.

Letteratura e Risorgimento

Di famiglia aristocratica, dopo aver studiato Giurisprudenza a Roma partecipa alla Prima Guerra Mondiale, durante la quale è catturato e imprigionato per un anno. Terminato il conflitto bellico, intraprende numerosi viaggi sia in Italia che all'estero. La notorietà letteraria giunge dopo la sua morte con la pubblicazione postuma del celebre romanzo *Il gattopardo* (1958). La viva rappresentazione della realtà storico-sociale siciliana al tempo della spedizione dei Mille (1860) e il conseguente passaggio dal Regno di Napoli all'Italia unita assume il significato emblematico di momento di profonda trasformazione che finirà per cancellare i vecchi valori fondati sul privilegio del vincolo feudale.

Il gattopardo

Romanzo ambientato ai tempi della spedizione dei Mille, racconta le vicende di una famiglia di nobili siciliani che vivono direttamente gli avvenimenti storici dell'imminente Unità d'Italia. Nel brano che segue, il giovane Tancredi espone le ragioni per cui è necessario schierarsi con Garibaldi: l'accettazione del passaggio dei poteri al nuovo Stato italiano costituisce per lui l'unica possibilità di mantenere intatti i vecchi privilegi feudali. Lo zio, il Principe Fabrizio di Salina, ascolta le parole del nipote esprimendo a sua volta le sue preoccupazioni.

«Parto, zione, parto fra un'ora. Sono venuto a dirti addio». Il povero Salina si sentì stringere il cuore. «Un duello?» «Un grande duello, zio. Un duello con Francischiello Dio Guardi. Vado nelle montagne a Ficuzza; non lo dire a nessuno, soprattutto non a Paolo. Si preparano grandi cose, zio, ed io non voglio restare a casa. Dove del resto mi acchiapperebbero subito se vi restassi». Il Principe ebbe una delle sue solite visioni improvvise: una scena crudele di guerriglia, schioppettate nei boschi, ed il suo Tancredi per terra sbudellato come quel disgraziato soldato. «Sei pazzo, figlio mio. Andare a mettersi con quella gente. Sono tutti mafiosi e imbroglioni. Un Falconeri dev'essere con noi, per il Re». Gli occhi ripresero a sorridere. «Per il Re, certo, ma per quale Re?» Il ragazzo ebbe uno di quei suoi accessi di serietà che lo rendevano impenetrabile e caro. «Se non ci siamo anche noi quelli ti combinano la repubblica. Se vogliamo che tutto rimanga com'è, bisogna che tutto cambi. Mi sono spiegato?» Abbracciò lo zio un po' commosso. «Arrivederci a presto. Ritornerò col tricolore». La retorica degli amici aveva stinto un po' anche su suo nipote; eppure no, nella voce nasale vi era un accento che smentiva l'enfasi. Che ragazzo!

Le sciocchezze e nello stesso tempo il diniego delle sciocchezze. [...] Questo era il suo figlio vero. Il Principe si alzò in fretta, si strappò l'asciugamani dal collo, frugò in un cassetto. «Tancredi, Tancredi, aspetta!». Corse dietro al nipote, gli mise in tasca un rotolino di onze d'oro, gli premette la spalla. Quello rideva. «Sussidi la rivoluzione, adesso! Ma grazie, zione, a presto; e tanti abbracci alla zia». E si precipitò giù per le scale.

[...] «Il tricolore! Bravo il tricolore! Si riempiono la bocca con queste parole i bricconi. E che cosa significa questo segnacolo geometrico, questa scimmiottatura dei francesi così brutto in confronto alla nostra bandiera candida con al centro l'oro gigliato dello stemma? E che cosa può far loro sperare quest'accozzaglia di colori stridenti?»

Arte e Risorgimento: Giovanni Fattori e i Macchiaioli

Giovanni Fattori

Giovanni Fattori (Livorno 1825 - Firenze 1908) si afferma dopo la guerra del 1848-49 con alcune opere che, seguendo i canoni del realismo romantico, hanno come soggetto scene di vita militare, in particolare battaglie risorgimentali e soldati a cavallo. Verso il 1860 Giovanni Fattori, Telemaco Signorini e Silvestro Lega fondano a Firenze la corrente dei Macchiaioli. Questo termine, attribuito con una certa ironia, deriva da "macchia"e indica l'effetto prodotto dal colore distribuito a larghe pennellate con vivaci contrasti di luce ed ombra. L'interesse dei Macchiaioli si focalizza su soggetti rustici che rappresentano un'Italia umile e popolare.

- Il soggetto è patriottico: l'entrata delle truppe garibaldine a Palermo. Malgrado l'assenza di dettagli, *l'Eroe dei due mondi* si distingue tra le Camicie Rosse, in posizione quasi centrale e alla testa del gruppo a cavallo.
- La porta della città incombe gigantesca su tutta la scena. La scelta di luci e colori e la loro disposizione nel quadro definiscono bene l'obiettivo e il valore dell'impresa. La tecnica del chiaroscuro è una componente essenziale della pittura dei Macchiaioli.
- La metà inferiore del quadro è in ombra; l'attenzione dei soldati, ripresi di schiena, è rivolta verso l'obiettivo della battaglia.
- La metà superiore è illuminata dalla luce. Il dettaglio architettonico assume una funzione simbolica: attraverso la porta si intravede un cielo sereno il cui colore contrasta con i toni terrosi che dominano il quadro.

- Fattori non trascura i tratti più crudi e realistici dello scontro militare: il soldato agonizzante in primo piano è l'elemento descritto con maggior cura.

**Giovanni Fattori, "Garibaldi a Palermo", 1860-1862.
Olio su tela cm 88x132**

 1. (traccia 4) Ascoltate la seguente intervista riguardante la mostra del Canaletto a Roma e segnate con una X le informazioni esatte.

1. Gli orari della mostra sono più lunghi il sabato. ☐
2. L'ultimo giorno della mostra è il 19 giugno. ☐
3. Palazzo Giustiniani è per la prima volta sede di una mostra. ☐
4. Palazzo Giustiniani è un bellissimo palazzo del Settecento. ☐

5. Canaletto è un pittore vedutista. ☐
6. Pochi musei espongono le opere del Canaletto. ☐
7. Nella sua ultima fase creativa Canaletto si avvicina all'Impressionismo. ☐
8. In molte opere Canaletto ha scelto Venezia come modello. ☐

Canaletto, "Canal Grande"

Concorrenza sleale

(2001) di Ettore Scola, con Diego Abatantuono, Sergio Castellitto, Gérard Depardieu

Ettore Scola

Capolavoro di Ettore Scola, il film è ambientato in piena epoca fascista, precisamente nel 1938. La trama mette in risalto le conseguenze provocate dalle famigerate leggi razziali che colpivano soprattutto le famiglie ebree. In questo periodo buio della storia d'Italia, s'instaura una sorta di rivalità fra il proprietario di una sartoria e quello di una merceria: i litigi sorgono perché i due possiedono negozi adiacenti, il che genera una continua contesa per accaparrarsi più clienti, ricorrendo anche alla concorrenza sleale. In questa disputa commerciale, sembra che prevalga il padrone della merceria, ma purtroppo sarà lui, essendo ebreo, ad incappare nelle infami leggi razziali promulgate dalla dittatura di Mussolini. Costretto ad abbandonare l'attività e la residenza, dovrà seguire il destino di tanti ebrei spediti nei campi di concentramento nazisti. Nei frangenti che precedono la sua partenza, fra i due rivali si vengono a creare sentimenti di profonda amicizia e solidarietà che in qualche maniera attenuano i toni cupi della sventura. In questa superba opera cinematografica, il regista descrive con grande ingegno artistico lo stato d'animo dei protagonisti, vittime degli avvenimenti storici e dell'ingiustizia. Le immagini più toccanti sono quelle in cui si evidenzia la discriminazione subita dalle comunità ebraiche a cui si associa il presentimento di una sorte terribile come purtroppo nella realtà è stato.

1. Collegate le frasi utilizzando gli opportuni elementi del discorso (congiunzioni, preposizioni, avverbi etc.). Se necessario, eliminate o eventualmente sostituite alcune parole.

1. Il regista del film ha costruito una bella trama

   il contesto della trama si sviluppa nel 1938

   nel 1938 il regime fascista promulga le leggi razziali

   Il regista del film ha costruito una bella trama il cui contesto si sviluppa nel 1938, anno in
   ....
   cui il regime fascista promulga le leggi razziali.
   ....

2. Fra i proprietari dei due negozi si instaura una rivalità

   la rivalità sorge perché i negozi sono adiacenti

   in questa rivalità il padrone del negozio di mercerie sembra prevalere

   ....
   ....

3. Ettore Scola ha diretto un'opera cinematografica

   l'opera cinematografica descrive molto bene lo stato d'animo dei protagonisti

   lo stato d'animo dei protagonisti esprime una grande tristezza

   ....
   ....

4. Il film propone delle immagini

   le immagini sono ambientate alla fine degli anni Trenta

   alla fine degli anni Trenta le comunità ebraiche furono discriminate

   ....
   ....

Aggiungi un posto a tavola!!!

La tavola, luogo di socialità

Aggiungi un posto a tavola che c'è un amico in più... Così recitava una vecchia canzone, perché non c'è piacere più grande per un italiano che riunirsi con gli amici o i parenti intorno ad una tavola apparecchiata. Certo, non sarà una prerogativa nostrana, ma da noi l'evento assume un significato speciale. Ogni occasione è buona per una cena a casa di amici o per una pizza. Tutti gli appuntamenti importanti sono segnati da un pranzo o da una cena. Che si tratti di un matrimonio o di una laurea, di un compleanno o di un battesimo, del Natale o della Pasqua, poco importa. Ogni scusa è buona per mangiare e bere.

Anche se i ritmi di vita si sono accelerati notevolmente, per la famiglia italiana media la tavola rimane il punto di incontro dei vari membri, spesso l'unico momento per stare insieme dopo una giornata di lavoro. Anche nelle famiglie in cui tutti lavorano, la sera normalmente si cena tutti insieme e la domenica si pranza spesso con gli zii e i cugini, a casa dei nonni o dei figli. Il sabato sera invece è riservato alle uscite con gli amici, in pizzeria o al ristorante.

I pasti degli italiani

Ma quando mangiano gli italiani? E, soprattutto, cosa mangiano?
Innanzi tutto gli italiani a colazione mangiano poco o addirittura non mangiano. In genere prendono un caffè, un cappuccino o un caffelatte con qualcosa di dolce: un cornetto, una pasta o il più tradizionale pane burro e marmellata. Negli ultimi anni si sono diffusi moltissimi tipi di merendine che, con i biscotti, sostituiscono in casa il cornetto del bar. Comunque sono molti gli italiani che non fanno colazione ma si concedono solo un espresso per poi fare uno spuntino verso le 11 al bar più vicino. In ogni caso, a quell'ora quasi tutti prendono un caffè durante la pausa dal lavoro.

Tra l'una e le due si consuma il pranzo, pasto al quale invece gli italiani non rinunciano quasi mai. Tuttavia durante la settimana di solito non si pranza con un pasto completo e cioè primo, secondo e contorno, perché una digestione lunga si concilia poco con la vita lavorativa. In effetti sono sempre più numerosi gli italiani che pranzano in trattoria o al bar, con un panino o un tramezzino. Spesso si mangia solo una portata. Per pranzare abbondantemente si aspetta di solito il sabato o la domenica.

D'obbligo il caffè a fine pranzo. Attenzione: gli italiani non bevono mai il cappuccino dopo avere pranzato!

La sera, verso le otto, gli italiani cenano a casa con la famiglia. Si approfitta per mangiare un po' di più e magari per bere un bicchiere di vino. La pastasciutta a cena non è molto comune; si preferisce la carne accompagnata da un contorno: patate fritte o al forno, insalata, spinaci, carciofi o altre verdure di stagione.

Attenzione! In italiano si dice **pranzare** e **cenare**, ma si dice **fare colazione**, **fare uno spuntino** e **fare merenda**.

1. Comprensione. Vero o Falso?

	V	F
1. La tavola è il luogo di ritrovo privilegiato delle famiglie.	☐	☐
2. Il sabato e la domenica si pranza con gli amici.	☐	☐
3. La colazione italiana è a base di cibi salati.	☐	☐
4. A pranzo di solito si mangiano primo, secondo e contorno.	☐	☐
5. La cena si consuma con la famiglia.	☐	☐
6. La carne è il piatto forte del pranzo.	☐	☐
7. Gli italiani generalmente bevono almeno tre caffè al giorno.	☐	☐

2. Parliamone insieme.

1. Mangiare è solo un'esigenza alimentare o può essere un'occasione per stare insieme agli amici o ai famigliari? Il pranzo e la cena hanno la stessa durata? Perché? Quali sono le abitudini nel vostro Paese?
2. Mangiate spesso in compagnia? Chi cucina in queste occasioni e perché? Chi sceglie il menù?
3. Nel vostro Paese la colazione è un pasto abbondante? È dolce o salata? Fate colazione a casa o al bar? A che ora?
4. Si beve molto caffè nel vostro Paese? Si beve l'espresso o si prepara il caffè in un altro modo?
5. Il sabato sera preferite una cena con gli amici o i divertimenti (discoteca, birreria, cinema etc.)?

 In Italia è in vigore il sistema metrico decimale per i pesi e per le misure. In termini pratici questo significa che ogni volta che facciamo la spesa e compriamo un alimento, lo pesiamo e lo paghiamo in chili o in etti.
L'unità di misura di riferimento è il grammo (g.), 100 grammi fanno un etto (h.) e 10 etti fanno un chilo (Kg.), cioè 1.000 grammi.
Generalmente si usano i chili e i mezzi chili per pane, pasta, frutta e verdura. Si usano gli etti per comprare formaggi, salumi etc. A seconda degli alimenti, i prezzi indicano il chilo o l'etto.

3. Aggiungete la preposizione semplice o articolata accanto a ciascun nome.

1. ...al... bar	8. ...dal... tabaccaio	15. ...in... pasticceria
2. .... supermercato	9. .... mercato	16. .... panettiere
3. .... gelateria	10. .... macellaio	17. ...dal... salumiere
4. .... fruttivendolo	11. .... negozio di alimentari	18. .... macelleria
5. .... ristorante	12. .... pescivendolo	19. .... pizzeria
6. ...in... rosticceria	13. .... gelataio	20. .... trattoria
7. .... pescheria	14. .... birreria	21. .... forno

La piramide alimentare nella dieta mediterranea

Bevande:

Acqua - 6 bicchieri al giorno

Vino - 1 bicchiere scarso al giorno

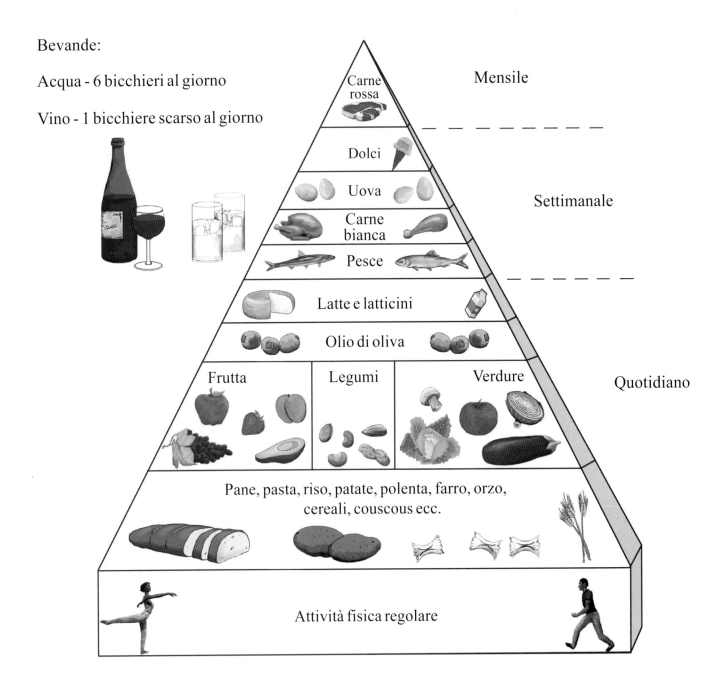

Mensile

Carne rossa

Settimanale

Dolci

Uova

Carne bianca

Pesce

Latte e latticini

Olio di oliva

Frutta   Legumi   Verdure

Quotidiano

Pane, pasta, riso, patate, polenta, farro, orzo, cereali, couscous ecc.

Attività fisica regolare

 4. Parliamone insieme. Il grafico rappresenta la dieta mediterranea, il tipo di alimentazione più diffuso in Italia. Osservatelo e poi riflettete.

1. Quali degli alimenti indicati nel grafico consumate quotidianamente? Quali settimanalmente e quali mensilmente? Ci sono degli alimenti che non consumate mai? Perché?
2. La vostra dieta è molto diversa da quella mediterranea? Fate un breve confronto elencando i vantaggi e gli svantaggi dell'una e dell'altra ed esponete le vostre ragioni.
3. Nel vostro Paese si cucina con olio extravergine di oliva oppure usate altri oli? Perché? Conoscete alcune delle proprietà dell'olio di oliva?

5. (traccia 5) **Ascoltate il brano relativo alla dieta vegetariana e indicate l'opzione corretta fra le quattro proposte.**

1. La dieta vegetariana

a. è una nuova moda.
b. è sempre esistita.
c. può fare male alla salute.
d. riguarda molte persone.

2. I vegetariani

a. sono tali per vocazione.
b. hanno fatto questa scelta perché non amano la carne.
c. sono contrari agli allevamenti di bestiame.
d. non mangiano la carne ma mangiano il pesce.

3. I medici suggeriscono

a. di non mangiare carne.
b. di mangiare la carne rossa non più di due volte a settimana.
c. di mangiare carne due volte a settimana.
d. di sostituire la carne con la soia.

4. Per diventare vegetariani

a. bisogna informasi bene sulle conseguenze di una simile dieta.
b. basta non mangiare carne.
c. ci si può rivolgere a un medico specializzato nel settore.
d. basta mangiare frutta e verdura in abbondanza.

 6. In quale negozio o in quali negozi si possono comprare gli alimenti dati.

frutta, verdura, formaggio, gelato, pane, pasta fresca, prosciutto, carne, pesce, pasta, vino, farina, cibi in scatola, riso, mozzarella, cibi surgelati, paste e dolci, bibite in bottiglia, tortellini freschi, latte, uova, peperoni, zucchero, caffè, burro, frutti di mare freschi

1. Pasticceria: ....

2. Panetteria: *pane,* ....

3. Salumeria: ....

4. Fruttivendolo: ....

5. Negozio di alimentari: ....

6. Macelleria: ....

7. Mercato: ....

8. Pescheria: ....

9. Supermercato: ....

Prodotti tipici

L'olio d'oliva

L'olio extra vergine di oliva è l'olio di origine naturale con il più basso contenuto di grassi tra gli oli esistenti. Ricco di antiossidanti, se mangiato crudo è ideale per qualsiasi tipo di dieta, in quanto rallenta il naturale processo di invecchiamento delle cellule. L'assunzione di due cucchiai al giorno, aumenta le difese immunitarie dell'organismo. Numerosi studi hanno dimostrato che la presenza di acido oleico (ovvero di acidi grassi monoinsaturi) favorisce la prevenzione di malattie quali: arterio-sclerosi, colesterolo e in genere le malattie cardio-patiche. In particolare l'olio d'oliva rimuove le placche di grasso che si formano sulle pareti delle arterie. A differenza di altri oli vegetali o animali, l'olio d'oliva è l'unico digeribile al 100%.

La qualità dell'olio è indicata dal tasso di acidità. Un'acidità inferiore all'1% definisce la categoria degli extra vergini. Un'acidità compresa tra l'1 e il 2% definisce la categoria degli oli vergini. L'olio d'oliva è uno degli alimenti indispensabili della cucina italiana e della dieta mediterranea.

Signore e signori: sua maestà il Parmigiano Reggiano

Il più celebre dei formaggi nostrani, il Parmigiano Reggiano, regna da secoli sulle tavole degli italiani. Già Boccaccio, nel Trecento, lo citava come delizia del paese di Bengodi.

Dal 1934 esiste un consorzio che riunisce i caseifici produttori delle province di Parma, Reggio Emilia, Modena, Mantova e Bologna, che costituiscono la zona tipica di produzione. Il consorzio tutela e protegge la produzione e assolve all'importante compito di apporre il marchio Parmigiano Reggiano.

A coronare tanta tradizione è arrivato recentemente il marchio DOP (Denominazione d'Origine Protetta), conferito dalla Comunità Europea ai prodotti tipici di riconosciuta qualità, la cui produzione sia strettamente legata a un territorio.

Il Parmigiano ha bisogno di una stagionatura minima di trenta mesi. La sua consistenza granulosa ne facilita l'uso come condimento grattugiato, o a scaglie. Si sposa bene con i vini rossi che ne esaltano il sapore.

1. Qui di seguito c'è una lista di prodotti tipici italiani. Trovate la definizione appropriata per ognuno di essi e dopo cercate il prodotto tra le immagini, come nell'esempio.

a. *Panettone*   b. *Arancino*   c. *Spumante*   d. *Gorgonzola*   e. *Prosciutto*
f. *Tortellini*   g. *Grappa*   h. *Aceto balsamico* i. *Tartufo*   l. *Gianduiotto*

1. Formaggio cremoso dal colore giallo con venature verdi, causate dalla muffa durante la stagionatura.

2. Acquavite di vinacce tipica del Veneto, a forte gradazione alcolica.

3. Coscia di maiale stagionata e salata.

4. Crocchetta di riso ripiena, a forma di arancia, molto diffusa nella cucina siciliana.

5. Aceto aromatizzato e invecchiato, tipico di Modena.

6. Fungo sotterraneo molto profumato, usato per condire vivande in Umbria e Piemonte.

7. Dolce natalizio milanese a base di uova, zucchero, burro, farina, uva passa e frutta candita.

8. Piccolo involucro di pasta ripieno di carne, formaggio o altri ingredienti.

9. Vino bianco frizzante che produce schiuma quando si stappa la bottiglia.

10. Cioccolatino a forma di spicchio, con cacao, zucchero e nocciole piemontesi.

2. Lessico. Qui di seguito ci sono parole molto diffuse del vocabolario della cucina. Cercate la definizione adatta tra quelle della lista in basso.

a. *Matterello* b. *Scolapasta* c. *Mezzaluna* d. *Padella* e. *Grattugia*
f. *Contorno* g. *Tagliere* h. *Coperchio* i. *Pentola* l. *Mestolo*

1. Coltello con lama ricurva e due impugnature alle estremità, che serve per tritare carni e verdure.
2. Lungo cilindro di legno levigato che si usa in cucina per spianare e assottigliare la sfoglia di pasta.
3. Arnese da cucina con buchi per scolare l'acqua di cottura della pasta e di altri cibi bolliti.
4. Recipiente tondo e basso, con lungo manico, usato soprattutto per friggere.
5. Recipiente di forma cilindrica con due manici e coperchio, usato per cuocere cibi.
6. Piatto che si serve per accompagnare la carne o il pesce.
7. Arnese da cucina, di metallo o di legno, a forma di cucchiaio, usato per mescolare i cibi durante la cottura.
8. Asse di legno duro su cui si tagliano o si sminuzzano ingredienti per preparare una portata.
9. Attrezzo metallico su cui si sfrega il formaggio per ridurlo in piccole scaglie.
10. Arnese che serve per coprire le pentole e i recipienti in genere.

a __; b __; c __; d __; e __; f __; g __; h __; i __; l __;

3. Lessico. Nella colonna a sinistra ci sono alcuni modi di dire tipicamente italiani. Cercate il significato più adatto tra le definizioni proposte nella colonna a destra.

1. **Essere come il cacio sui maccheroni.**
2. **Cadere dalla padella nella brace.**
3. **È sempre la stessa minestra.**
4. **Dire pane al pane e vino al vino.**
5. **Acqua in bocca!**
6. **Masticare amaro.**
7. **Rimangiarsi la parola.**
8. **Ingoiare il rospo.**

a. Parlare francamente senza mezze misure.
b. Essere costretti ad accettare una cosa non gradita.
c. Capitare a proposito in una situazione.
d. Non mantenere le promesse fatte, la parola data.
e. Dover sopportare una situazione molto spiacevole.
f. Invitare qualcuno a mantenere un segreto.
g. Trovarsi in una situazione peggiore della precedente.
h. Si dice di una situazione sempre uguale, che non è cambiata.

Università del gusto www.unisg.it

Nell'autunno del 2004 hanno preso il via i corsi all'Università di Scienze Gastronomiche.

L'Università è un ambizioso progetto dell'associazione *Slow Food*, movimento che sostiene la cultura del cibo e del vino contro la standardizzazione del gusto e il diffondersi dei fast food (www.slow food.it). Per il momento è possibile iscriversi al corso di laurea in Gastronomia ma è già in cantiere un corso in Agroecologia. Gli studenti studiano tutta la filiera degli alimenti dal campo alla tavola.

La loro produzione, i terreni, le varietà, la conservazione e naturalmente le trasformazioni culinarie. Ne nascerà una nuova figura professionale capace di orientare la produzione, valorizzare e promuovere cibi, vini e in genere i prodotti alimentari. Le sedi dell'Università sono due, entrambe prestigiose: la Reggia di Colorno (Parma) e l'Agenzia di Pollenzo (Cuneo).

La sede dell'Università del Gusto a Pollenzo

Come mangiano gli italiani?

Giuliana De Marco, 17 anni, modella,
altezza: 1,77 m., peso: 52 Kg.

Io vado pazza per i dolci ma il mio lavoro mi impone molti sacrifici! Se fosse per me, mangerei solo dolci tutti i giorni e invece me li posso permettere solo una volta a settimana perché fanno ingrassare! Mangio molta pasta con condimenti poco grassi: in genere pomodoro, olio d'oliva e un po' di formaggio. Quando mangio la pasta non mangio pane o ne mangio molto poco. La verdura e la frutta invece sono diventate il mio pane quotidiano. Da quando ho iniziato a sfilare, e cioè da quando avevo 15 anni, mangio insalata tutti i giorni, due volte al giorno. Mangio carne alla griglia tre volte alla settimana privilegiando la carne bianca per il suo basso contenuto di grassi. Anche l'alcool mi è stato praticamente proibito.

Giorgio Occhipinti,
28 anni, maratoneta,
altezza: 1,74 m.,
peso: 59 Kg.

Mangio almeno 150-200 grammi di pasta al giorno. La pasta è l'alimento ideale per un atleta come me, in quanto ricca di carboidrati che mi forniscono molte energie per un lasso di tempo relativamente lungo. Per me rappresenta quindi un vero e proprio toccasana anche perché a differenza di altri alimenti ricchi di carboidrati come il pane o il riso, è più facile da digerire, quindi non mi appesantisce durante gli allenamenti. Inoltre mangio molta frutta, per gli zuccheri. Le proteine le trovo nel formaggio che mangio praticamente tutti i giorni. Naturalmente mangio anche la carne, circa tre volte a settimana: due volte carne bianca e una volta carne rossa. Anche il pesce lo mangio tre volte a settimana. Purtroppo per via

dello sport non posso bere molto vino che pure mi piace molto, ne consumo un bicchiere a pranzo e uno a cena.

Luca Arcuri, 38 anni, impiegato,
altezza: 1,68 m., peso: 68 Kg.

Io sono vegetariano quindi non mi piace la carne. Per sopperire alla carenza di proteine nella mia dieta, consumo legumi quotidianamente. Bevo latte di soia e mangio bistecche di soia almeno tre volte alla settimana. Mangio molte lenticchie e molti ceci. Anche il formaggio lo mangio spesso. Il pesce un paio di volte alla settimana. Frutta e verdura sono sempre sulla mia tavola insieme al pane, naturalmente integrale. Non bevo mai se non in situazioni speciali. Vado matto invece per tutti i tipi di dolce. Il tiramisù è il mio dessert preferito.

Gianluca Cattaneo,
45 anni, attore,
altezza: 1,72 m.,
peso: 78 Kg.

Io sono un amante della buona cucina quindi mi piace mangiare soprattutto in compagnia. Intendiamoci: anche quando sono solo faccio onore alla tavola. Sono sempre stato una buona forchetta. La mia dieta, se così si può chiamare, è ricca di pasta, carne e formaggio, il tutto annaffiato da un paio di bicchieri di vino rosso. Insomma io mangio primo, secondo e contorno tutte le volte che posso. Se poi sono con amici o famigliari non tralascio l'antipasto. In realtà questo non succede spesso perché sul set non sempre i tempi lo permettono. E in teatro è ancora peggio perché non posso andare in scena con lo stomaco troppo pesante.

1. Comprensione. Completate lo schema con le informazioni sulla dieta degli intervistati. Quanto e quando mangia ciascun alimento ognuno di loro? Alla fine completate con le informazioni relative alla vostra dieta e confrontatele con quelle degli intervistati.

	Giorgio	Giuliana	Gianluca	Luca	Tu
Pasta	*Tutti i giorni*				
Riso					
Pane					
Carne bianca					
Carne rossa					
Pesce					
Formaggio					
Verdura					
Legumi				*Tutti i giorni*	
Frutta					
Dolci					
Vino					

2. Parliamone insieme.

1. Quale dei personaggi sembra preoccuparsi di più per la sua alimentazione? Giustificate la vostra scelta.
2. A quale degli intervistati vi sentite più vicini? Perché?
3. Voi cosa mangiate? Seguite una dieta precisa o mangiate quello che capita? Perché?
4. Quando fate la spesa, cosa comprate? Cercate di comprare alcune cose piuttosto che altre oppure non vi preoccupate molto? Perché?
5. Mangiate spesso la pasta? Se non la mangiate molto spesso, in che forma assumete i carboidrati?
6. Mangiate sempre il dolce a fine pranzo? Quali dolci mangiate? Li cucinate voi o li comprate già fatti?

3. Completate il testo con i pronomi mancanti.

Maria Barberi, 16 anni, studentessa, altezza: 1,70 m., peso: 57 Kg.

Io mangio un po' di tutto. _____ piacciono il latte e lo yogurt, _____ consumo fin da quando ero bambina. Amo la pasta e vado pazza per i dolci, soprattutto la Nutella: non _____ posso fare a meno. Non _____ piacciono invece le verdure, tranne i pomodori e i cetrioli in insalata. La pizza _____ fa impazzire, _____ divoro e _____ porto sempre una fetta a scuola per l'intervallo. La domenica pranzo quasi sempre da mia nonna; ci vado volentieri, lei mangia solo riso: _____ cucina in mille modi e _____ riesce sempre bene. In quanto alle bevande, né vino né birra: _____ evito perché gli alcolici fanno ingrassare e _____ danno sonnolenza. Cucinare io? Non ci penso proprio; la mamma _____ sa fare benissimo!

Italiani, popolo di ciccioni?

Ma sarà proprio vero che gli italiani sanno mangiare? Certo è che l'Italia è il paese della dieta mediterranea per eccellenza. Ed è altrettanto vero che la "moda" dell'agricoltura biologica sta prendendo piede qui come nel resto del vecchio continente. Per non parlare poi della fama di schizzinosi che gli italiani si sono fatti all'estero ogni qualvolta si parla di mangiare! Tutto farebbe pensare ad un popolo di esigenti buongustai.

Eppure... Eppure pare proprio che la situazione non sia così rosea!

Una recente indagine mette a nudo dati che contraddicono molti luoghi comuni. L'indagine è stata condotta da medici esperti del settore provenienti da tutto il mondo. Ma diamo un'occhiata ai numeri. Innanzitutto l'Italia è il paese con il più alto numero di bambini grassi in Europa. E cioè: il 36% dei piccoli italiani è in sovrappeso.

Gli italiani sovrappeso sono ben 16 milioni su una popolazione totale che si aggira intorno ai 58 milioni. Altro che dieta mediterranea! E non è tutto. In Italia ci sono 4 milioni di obesi! E negli ultimi 40 anni il numero di bambini obesi si è triplicato!

Fernando Botero, **Famiglia, 2004**

L'unica consolazione è che i nostri vicini non stanno meglio di noi: in Spagna i bambini ciccioni sono il 27% e in Svizzera il 24. Ciò non toglie che i dati italiani sono di gran lunga i più preoccupanti. Intanto i pediatri cercano le cause. E sul banco degli imputati finiscono gli snack e la televisione. I primi responsabili di favorire le cattive abitudini alimentari e la seconda responsabile dell'inattività fisica di moltissimi bambini. Il problema esiste anche negli Stati Uniti. L'Organizzazione Mondiale della Sanità (OMS) non esita a parlare esplicitamente di "malattie del benessere" e cioè di patologie legate all'alto livello di vita.

Comunque sia, bisogna correre ai ripari subito.

Il Ministro della Sanità pensa di introdurre l'educazione alimentare nelle scuole. Altri propongono più rigore da parte delle mamme accusate di avere un atteggiamento troppo permissivo nei confronti dei figli. E c'è chi propone porzioni più piccole nelle mense scolastiche e chi chiede di regolamentare gli spot commerciali rivolti ai più piccoli.

1. Lessico. Scegliete il sinonimo per ogni parola o espressione proposta.

1. Prendere piede	a. diffondersi *diffused*	b. cominciare	c. ritornare
2. Schizzinoso	a. preciso	b. di gusti esigenti	c. di ottimi gusti
3. Buongustaio	a. di gusti raffinati	b. di buon appetito	c. di buone abitudini
4. Mettere a nudo	a. denudare	b. rivelare *reveal*	c. indovinare
5. Dare un'occhiata	a. analizzare	b. guardare rapidamente	c. osservare
6. La situazione non è rosea	a. non è difficile	b. è confortante	c. è difficile
7. Correre ai ripari	a. cercare un riparo	b. scappare	c. rimediare
8. Di gran lunga	a. decisamente	b. lentamente	c. probabilmente

2. Parliamone insieme.

1. A casa vostra si mangia in cucina oppure nella sala da pranzo? Durante il pasto guardate la televisione oppure preferite la conversazione?
2. Nel vostro Paese esiste il problema delle cattive abitudini alimentari? Se sì, quali sono le cause ed eventualmente le soluzioni?
3. Nel vostro Paese l'educazione alimentare viene insegnata nelle scuole?
4. L'indagine condotta in Italia suggerisce l'idea che esiste una differenza nell'alimentazione tra le generazioni? Credete che i giovani mangino meglio o peggio degli adulti? Perché?

3. Parliamone insieme. Questo grafico rappresenta i risultati di una recente ricerca sul peso dei bambini italiani. Analizzate e commentate i dati.

Bambini e adolescenti con eccesso di peso in Italia

Fonte: *Eccesso di peso nell'infanzia e nell'adolescenza*, S. Brescianini, L. Gargiulo, E. Gianicolo

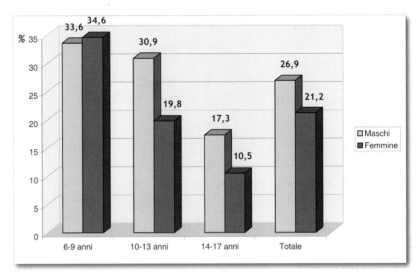

4. (traccia 6) Ascoltate l'intervista relativa alla manifestazione dolciaria *Eurochocolate* e indicate l'opzione corretta fra le quattro proposte

1. Eurochocolate

a. è un evento di portata europea.
b. viene organizzato a Perugia.
c. si svolge a Perugia.
d. si svolge in tutta Europa.

2. Tra le iniziative dell'Eurochocolate ci sarà

a. un vertice dei più grandi produttori di cioccolato del mondo.
b. un incontro tra produttori e distributori.
c. un incontro dei più grandi produttori di cacao del mondo.
d. un summit dei più grandi distributori di cacao del mondo.

Due momenti della manifestazione "Eurochocolate"

4. Pochi chili in più

a. fanno bella una donna.
b. non fanno bella una donna.
c. non cambiano sostanzialmente il suo aspetto fisico.

5. Una dieta fai da te

a. non dà mai buoni risultati.
b. dev'essere consigliata da un medico.
c. può essere pericolosa.

6. Roberta dovrebbe evitare

a. i grassi.
b. i condimenti.
c. i pasti.

7. La dottoressa le consiglia di

a. fare un po' di ginnastica.
b. andare da un medico.
c. curare di più il suo fisico.

 2. Parliamone insieme.

1. Nella vostra cultura, qual è il modello prevalente di bellezza femminile e maschile? Perché credete che uno prevalga sugli altri? Il vostro aspetto fisico corrisponde ai canoni prevalenti di bellezza?
2. Conoscete altri modelli di bellezza che non siano quelli occidentali? A quali culture appartengono? Confrontateli con quelli a cui fate riferimento voi.
3. Secondo una recente indagine, il 3-5% delle adolescenti italiane soffre di disturbi alimentari: tra gli adolescenti del vostro Paese esiste lo stesso problema? Confrontate e analizzate le cause della situazione.
4. Avete mai scritto ad un giornale o a una rivista? Per quale motivo?

3. Immaginate di scrivere una lettera ad un giornale nella quale segnalate il vostro problema di peso e chiedete dei consigli. Successivamente mettetevi nei panni della Dottoressa e rispondete alla lettrice. Ricordate di usare il Condizionale o l'Imperativo per consigliare.

Cara ...,
ti scrivo ...

Ciao, ...

Cara ...,
dovresti ...

Ciao, ...

4. Leggi attentamente il menù riportato di seguito.

Ristorante **La locanda di Bacco**

Antipasti	€
Prosciutto e melone	9.50
Caprese	8.50
Crostini misti	9.00
Affettati misti della casa	10.00
Lardo di Colonnata	11.00
Formaggi misti *(parmigiano, pecorino locale, provolone affumicato)*	10.00

Primi piatti	
Gnocchi al pesto	9.00
Lasagne della casa	10.50
Penne all'arrabbiata	9.50
Farfalline alle noci	9.00
Maccheroni all'amatriciana	9.50
Tagliatelle alla bolognese	9.50
Tortellini burro e salvia	10.50
Ravioli spinaci e ricotta con salsa di pomodoro	10.50

Secondi	
Carpaccio	16.00
Bistecca alla fiorentina	30.00
Agnello in umido	17.00
Coniglio alla cacciatora	17.00
Fegato arrosto	18.00
Cotoletta alla milanese	16.00

	€
Spigola alla griglia	25.00
Fritto misto	18.50
Costolette d'agnello alla griglia	17.50

Contorni	
Patate al forno	7.50
Patate fritte	7.00
Insalata mista *(pomodori, radicchio, lattuga e cipolla rossa)*	6.50
Insalata di rucola e parmigiano con olio d'oliva e aceto balsamico	8.00
Cavoli	7.00
Spinaci saltati con aglio	6.50
Cuori di carciofi gratinati al forno	7.00

Frutta e dessert	
Macedonia di frutta	4.00
Tiramisù	5.00
Mousse al cioccolato	5.00
Profiteroles	6.00

Vini	
Vino della casa *(rosso e bianco)*	10.00
Chianti Colli Senesi	20.00
Rosso di Montalcino	26.00
Vernaccia di San Gimignano	20.50
Vino Nobile di Montepulciano	47.00

5. Parliamone insieme. Osservate il menù proposto e rispondete alle seguenti domande.

1. A casa vostra di solito mangiate un pasto completo o una sola portata?
2. Nel vostro Paese si usa mangiare tutto in un piatto, come una sola portata, oppure ci sono portate diverse in piatti diversi, come in Italia?
3. Abitualmente bevete vino a tavola? Se non è molto comune, cosa bevete generalmente durante i pasti?

Per una guida dei migliori ristoranti italiani in rete potete consultare i siti **www.viamichelin.com** *e* **www.gamberorosso.it**

6.1 (traccia 7) **Ascoltate il brano relativo al vino e indicate l'opzione corretta fra le tre proposte.**

1. Il vino

a. è stato inventato dai Greci.
b. è stato inventato dagli Egizi.
c. ha una storia antica quanto l'uomo.

2. La conservazione del vino

a. è molto lunga.
b. è molto delicata.
c. avviene in un ambiente caldo e secco.

3. Il vino italiano

a. si esporta molto bene.
b. sta avendo delle difficoltà sui mercati internazionali.
c. non teme la concorrenza di altri vini.

4. Gli Stati Uniti

a. producono un buon vino in California.
b. producono dei buoni vini, con uva italiana.
c. importano molto vino italiano.

5. Il marchio DOC

a. indica il luogo di produzione del vino.
b. dà al consumatore garanzie sul luogo di produzione dell'uva.
c. fornisce garanzie sui metodi di lavorazione del vino.

6. Il vino

a. favorisce l'eliminazione del colesterolo.
b. non deve essere bevuto a stomaco vuoto.
c. aiuta la digestione, se bevuto con moderazione.

6.2 (traccia 7) **Riascoltate il brano una seconda volta e completate le frasi con le parole mancanti.**

1. La lavorazione comincia ....

2. Un sapere che gli italiani hanno esportato in ....

3. Per fare fronte alle moderne sfide imposte dalla globalizzazione dei mercati, già da diversi anni esiste il marchio di qualità DOC, ...

4. Inoltre, come per altri prodotti, la parola d'ordine in tema di ....
   ....

5. Per non parlare delle sue innumerevoli qualità nutritive già ....
   ....

7. Riordinate le parti del seguente dialogo tra un cameriere e un cliente.

Cameriere

1. **Buonasera Signore. Prego. Desidera un tavolo particolare?**
2. (*A fine pasto*) Tutto di suo gradimento? Desidera un caffè, un amaro, una grappa, un limoncello? Omaggio della casa.
3. ArrivederLa, Signore.
4. Bene. E di secondo? Abbiamo la bistecca alla fiorentina che è la specialità della casa.
5. Intanto Le porto qualcosa da bere? Abbiamo Rosso di Montepulciano, Chianti Colli Senesi...
6. La vuole al sangue o ben cotta?
7. Prego, si accomodi. Vuole ordinare subito?
8. Senz'altro. Ecco a Lei. Desidera un antipasto o preferisce un primo?

Cliente

a. **Buonasera. Sì, se possibile vorrei un tavolo vicino alla finestra.**
b. Allora prendo una bistecca con un'insalata di rucola e parmigiano di contorno.
c. Grazie e arrivederci.
d. La preferisco al sangue, grazie.
e. Prendo un piatto di gnocchi.
f. Un caffè, volentieri. E mi porti anche il conto, per favore.
g. Mi porti un quarto di vino della casa.
h. Prima vorrei dare un'occhiata al menù.

1-a; ___ ___; ___ ___; ___ ___; ___ ___; ___ ___; ___ ___; ___ ___;

8. Create un dialogo tra un cliente e un cameriere. Ordinate almeno tre portate fra quelle proposte dal menù di pagina 48.

Cameriere:	*Cliente:* ....
Cliente:	*Cameriere:* ....
Cameriere:	*Cliente:* ....
Cliente:	*Cameriere:* ....
Cameriere:	*Cliente:* ....
Cliente:	*Cameriere:* ....
Cameriere:	

Linguine alle vongole

Ingredienti per quattro persone:

Linguine	**500 gr.**
Vongole veraci	**800 gr.**
Olio extravergine di oliva	**6 cucchiai**
Peperoncino rosso	**uno**
Aglio	**due spicchi**
Vino bianco	**½ bicchiere**
Prezzemolo tritato	**un ciuffo**
Sale	**q.b. (quanto basta)**

Lavate le vongole e mettetele per almeno un paio d'ore in un secchio pieno di acqua di mare oppure in acqua a cui avrete aggiunto, per ogni litro, 30 gr. di sale marino grosso. Passato questo tempo, mettetele in uno scolapasta e lavatele abbondantemente sotto l'acqua corrente.

Fate bollire l'acqua per la pasta. Aspettando che bolla, tritate finemente l'aglio e fatelo soffriggere insieme al peperoncino in una padella molto capiente. Non appena l'aglio avrà preso il colore, versate il vino e dopo un minuto le vongole.

Girate spesso e, una volta aperte, assaggiatele per vedere se c'è bisogno di aggiungere del sale.

Cuocete le linguine molto al dente, scolatele lasciandole molto bagnate e versatele nella padel- la delle vongole. Fatele insaporire a fuoco vivace, cospargetele di prezzemolo e servite subito. Da accompagnare con un vino bianco fresco.

Attenzione, le vongole che non si sono aperte durante la cottura non sono buone da mangiare. Buttatele via!! I frutti di mare possono essere molto tossici.

Le linguine rientrano nella categoria della pasta lunga (spaghetti, tagliatelle, bucatini, fettuccine etc.). Sono simili a degli spaghetti però un po' schiacciate. Hanno una cottura di circa sei minuti (al dente) e sono ideali con condimenti a base di frutti di mare. Se non le trovate, potete usare le bavette che sono molto simili alle linguine ma un po' più spesse.

 1. Lessico. Accoppiate le parole a sinistra con la definizione più adatta.

1. Il peperoncino	a. dolce	b. piccante	c. salato
2. I frutti di mare	a. frutti che crescono in mare	b. pesci	c. crostacei e/o molluschi
3. Tritare	a. aprire	b. mettere	c. tagliare in piccoli pezzi
4. Soffriggere	a. cuocere lentamente	b. mescolare	c. friggere a fuoco moderato
5. Assaggiare	a. provare	b. togliere	c. cucinare
6. Cospargere	a. spruzzare	b. aggiungere	c. condire

2. Ricordate come si coniuga l'Imperativo? Provate a completare il seguente schema. Quando avete finito, provate ad aggiungere allo schema i pronomi diretti (lo, la, li, le).

	Lavare	**Chiudere**	**Aprire**	**Finire**
Tu		chiudi		finisci
Lei/Lui	lavi			
Noi		chiudiamo		
Voi			aprite	
Loro			aprano	

Come si comportano i verbi riflessivi all'Imperativo? Completate il seguente schema.

	Lavarsi	**Mettersi**	**Vestirsi**	**Pulirsi**
Tu	lavati			
Lei/Lui			si vesta	
Noi				puliamoci
Voi		mettetevi		
Loro	si lavino			

3. Ecco la ricetta di un secondo piatto tipico di Roma: i *Saltimbocca alla Romana*. Le fasi di preparazione però non sono nell'ordine esatto. Provate a riordinarle.

Ingredienti per quattro persone:

Vitello a fettine	600 gr.
Prosciutto crudo	150 gr.
Burro	60 gr.
Salvia	un mazzetto
Pepe	q.b.
Sale	q.b.
Vino bianco	un bicchiere

1. Ricoprite con una foglia di salvia e fissate il tutto con uno stecchino.
2. Dopo averli dorati da ambo le parti, aggiungete un pizzico di sale, un bicchiere di vino bianco e proseguite la cottura per 5-6 minuti.
3. Togliete i saltimbocca dal tegame, versate nel fondo di cottura due cucchiai di acqua e lasciate bollire per circa un minuto.
4. Tagliate le fettine di vitello in piccole porzioni, quindi disponete su ognuna una fetta di prosciutto crudo piegata in modo da coprirla interamente.
5. Distribuite la salsa sui saltimbocca e serviteli con un contorno di piselli al burro.
6. In un tegame sciogliete il burro e fatevi soffriggere i saltimbocca.

L'ordine esatto è: __ __ __ __ __ __

4. Scrivete una ricetta tipica del vostro Paese usando l'Imperativo. Se non ne conoscete nessuna, fatevi aiutare da un compagno. Non dimenticate di scrivere:

- gli ingredienti e il numero di persone
- le fasi della preparazione
- i tempi di cottura
- la bevanda più adatta per accompagnare il piatto

Vecchie abitudini e nuove tendenze: gli italiani e l'aperitivo

Negli ultimi anni gli italiani stanno cambiando sempre più spesso le loro abitudini alimentari. I ritmi di vita sempre più frenetici, il numero crescente di donne che lavorano, hanno contribuito all'affermarsi di nuove mode e tendenze, soprattutto presso i più giovani. L'aperitivo per esempio, che prima era un semplice stuzzichino che precedeva il pasto (generalmente una bevanda accompagnata da olive, arachidi o patatine), è diventato negli ultimi anni un vero e proprio pasto. I bar hanno preso l'abitudine di servire con l'aperitivo una grande varietà di cibi freddi e caldi.

E così dalle sette di sera in poi, sui banconi di molti bar abbondano le pietanze: dall'insalata di riso al risotto con i funghi, dall'insalata di pasta ai crostini, dalle pizzette alle polpette di riso o di patate, per finire con affettati di tutti i tipi. Tutto rigorosamente accompagnato da bevande per lo più alcoliche. Impazzano i cocktail.

I bar si fanno concorrenza a suon di portate e i giovani che escono dal lavoro si precipitano al bar più vicino. A favorire questa moda ci sono i prezzi delle bevande, in genere più a buon mercato rispetto alle ore normali.

Ma non è tutto! In moltissimi bar, in tutte le città italiane, l'ora dell'aperitivo è diventata un momento per incontrare gli amici e fare nuove conoscenze. Da momento per consumare una bibita si è passati a un vero e proprio atto sociale che si produce dalle sette di sera fino alle nove, nove e mezzo, per arrivare nelle sere del fine settimana fino a tarda notte. Insomma, se vi capita di vedere un bar pieno zeppo di gente verso le sette e mezzo di sera, significa che lì servono un buon aperitivo. E allora non esitate: buttatevi nella mischia! Mangiate e bevete! Potrebbe essere l'occasione per conoscere qualcuno di interessante.

1. Comprensione. Vero o Falso?

	V	F
1. Il cambiamento dei ritmi di vita ha portato a modificare le abitudini alimentari.	☐	☐
2. L'aperitivo è una nuova tendenza lanciata dai bar italiani.	☐	☐
3. L'aperitivo spesso sostituisce la cena.	☐	☐
4. Durante l'aperitivo le bevande costano di meno.	☐	☐
5. Le bevande più consumate sono spesso a base di alcol.	☐	☐
6. Molti giovani si danno appuntamento al bar per l'ora dell'aperitivo.	☐	☐
7. L'aperitivo è diventato un fenomeno di costume.	☐	☐
8. I bar si fanno concorrenza abbassando i prezzi delle bevande.	☐	☐

2. Lessico. Trovate nel testo i termini o le espressioni in blu corrispondenti alle seguenti definizioni.

1. Cibo servito a tavola.
2. Mobile che separa il venditore dai clienti.
3. Pienissimo.
4. Partecipare vivacemente ad un evento.
5. Spuntino, cibo appetitoso.
6. Economico.
7. Pietanza di carne o altra sostanza tritata e preparata in piccole forme.
8. Salume, prosciutto o qualsiasi altro insaccato tagliato a fette.

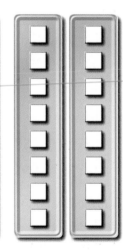

Crodino: l'analcolico biondo

Uno degli aperitivi italiani al 100% è il Crodino, bevanda analcolica unica per sapore e colore, biondo come dice la pubblicità. Leggero ma saporito, è la soluzione ideale per tutti quelli che di alcol non ne vogliono sentir parlare e si sposa bene con i salatini tipici dell'ora dell'aperitivo. L'inconfondibile sapore amaro e frizzante è il risultato di una sapiente miscela con l'aggiunta di erbe aromatiche che lo rende dissetante e piacevole al gusto.

Memorabili alcune delle campagne pubblicitarie legate al prodotto. Per saperne di più visitate il sito www.crodino.it

Bellini

Cocktail nato all'Harry's Bar di Venezia nel 1948, creato da Giuseppe Cipriani in occasione della mostra a Palazzo Ducale delle opere del famoso pittore Giovanni Bellini detto "Giambellino".

> **Qualità: poco alcolico**
> **Bicchiere: flûte**
> **Difficoltà: facile**
> **Tempi: pochi minuti**
> **Champagne ben freddo (7/10)**
> **Succo di pesche (3/10)**

Preparazione

Frullare la pesca (possibilmente a polpa bianca), dopo averla sbucciata, nel frullatore insieme a un cucchiaio di ghiaccio tritato e a un po' di champagne. Versare lo champagne nel bicchiere ben freddo e poi il frullato di pesca. Il cocktail è pronto.

Lo stesso cocktail si può preparare con spumante brut o del buon prosecco.

flûte

 ### 3. Parliamone insieme

1. Qual è una bevanda tipica del vostro Paese? Spiegate al resto della classe come si prepara e come si beve.

2. È consuetudine tra i vostri conoscenti o amici ritrovarsi al bar dopo il lavoro o dopo l'università? Perché? Prendete solo da bere o anche da mangiare? Confrontatevi con i vostri compagni.

3. In quali giorni e a che ora frequentate più spesso i bar?

4. Sapete come sono i bar italiani? Esistono differenze rispetto a quelli del vostro Paese? Quali?

Occhio all'etichetta! Ovvero, come sapere cosa mangiamo

L'etichetta è la carta d'identità dei prodotti alimentari. Tutti i prodotti dell'industria alimentare sono accompagnati da un'etichetta che dà precise informazioni su quello che troviamo negli scaffali del supermercato. C'è il nome del prodotto, il peso netto del contenuto e poi ci sono gli ingredienti. La normativa vigente prevede che le etichette riportino tutti gli ingredienti e li elenchino in ordine decrescente: al primo posto quello presente in quantità maggiore e così via, fino a quello che si trova in quantità minore. La legge italiana prevede inoltre che negli ingredienti siano elencati gli additivi e cioè tutte quelle sostanze che vengono aggiunte al prodotto durante la fase di lavorazione e conservazione. Sono additivi i conservanti, i coloranti, gli antiossidanti, i gelificanti, gli addensanti, gli stabilizzanti e gli antiemulsionanti. Gli additivi sono indicati da sigle tipo E300,

E325 etc. dove la E sta per Europa e il numero rappresenta uno degli additivi autorizzati dall'Unione Europea. Di solito una presenza troppo elevata di additivi implica una qualità scadente del prodotto.

Le informazioni nutrizionali indicano la quantità di principi alimentari presenti e il valore energetico di un prodotto. Grazie a queste informazioni possiamo sapere quante proteine ci sono in un determinato alimento, quante vitamine, quante fibre etc. Con una lettura attenta, una persona con problemi di colesterolo potrebbe evitare i cibi con troppi grassi, così come un malato di diabete gli zuccheri. Infine la scadenza indica la durata del prodotto. In genere, recita: "Da consumarsi preferibilmente entro... " seguito da una data. Questo significa che l'alimento deve essere consumato prima della data indicata.

VALORI NUTRIZIONALI Per 100 g		Bianco	Variegato	Frutti Cacao	Ministecco di bosco
VALORE ENERGETICO	kcal	186	197	201	314
	kJ	782	821	843	1310
PROTEINE	g	0,2	0,5	0,2	1
CARBOIDRATI	g	28,4	30,5	32,0	30,3
di cui: zuccheri	g	18,4	21,3	23,0	23
GRASSI	g	8,0	8,0	8,0	21
di cui: saturi	g	5,3	5,3	5,3	14,1
monoinsaturi	g	1,8	1,8	1,8	5,7
polinsaturi	g	0,9	0,9	0,9	1,2
colesterolo	mg	0,1	0,1	0,1	0,2
FIBRE ALIMENTARI	g	1,5	2,0	1,5	2,4
SODIO	g	0,2	0,2	0,2	0,1

Valori nutrizionali di una nota marca di gelati

1. Dopo avere riletto l'articolo, completate le seguenti frasi.

1. L'etichetta è ....

2. La legge italiana ....

3. Gli additivi sono ....

4. Una quantità eccessiva di additivi ....

5. La E indica ....

6. La scadenza ....

2. Parliamone insieme.

1. Quali elementi contenuti nell'immagine dell'etichetta vengono menzionati nell'articolo e quali invece no?
2. Avete mai pensato al contenuto degli alimenti che consumate? Perché?
3. Normalmente leggete le etichette dei prodotti che comprate al supermercato? Giustificate il vostro comportamento.
4. Nel vostro Paese esiste un legislazione in merito alle etichette? Cosa prevede? Se non esiste, pensate che potrebbe essere una buona idea regolamentare questo settore?

 3. (traccia 8) **Ascoltate l'intervista a un docente universitario sugli OGM e rispondete alle domande.**

	Vero	Falso
1. La notizia riguarda la salute dei cittadini britannici.	☐	☐
2. La notizia è stata data da un mezzo di informazione italiano.	☐	☐
3. Questo mais si vende in Italia.	☐	☐
4. L'esperimento non è recente.	☐	☐
5. La Monsanto non ha reso noti i risultati degli esperimenti.	☐	☐
6. Le cavie presentano anomalie allo stomaco.	☐	☐
7. Il numero delle anomalie è irrilevante.	☐	☐

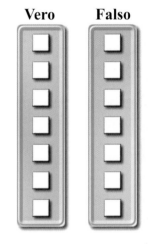

Giuseppe Arcimboldo

Giuseppe Arcimboldo (Milano 1527-1593) inizia la sua carriera di pittore con il padre, Biagio Arcimboldo, pittore del Duomo di Milano. Insieme a lui dipinge alcune vetrate del Duomo. È pittore ufficiale alla corte di Praga, presso gli Asburgo, dove nascono le celebri teste composte: una serie di ritratti fatti con frutta, verdura e animali. Non si sa come sia nato questo modo di dipingere, ma si sa che entusiasma i regnanti dell'epoca. In effetti le sue opere più celebri sono ritratti su commissione della famiglia reale.

Questi quadri suggeriscono l'idea di un potere eterno degli Asburgo (la serie *Le quattro stagioni*) e di un loro dominio, non solo sugli uomini e sugli stati, ma su tutto il creato (la serie *I quattro elementi*).

Arcimboldo, Estate, 1573, olio su tela, 76 x 64, Museo del Louvre, Parigi

• Arcimboldo rielabora in maniera del tutto personale il genere del ritratto: usa frutta e verdura per disegnare figure umane. La natura morta si anima per assumere le sembianze di uomini e donne. Nei suoi ritratti l'uomo è in totale armonia con la natura.

• *L'Estate* rappresenta un uomo nel pieno della maturità. Frutta e verdura di stagione formano il suo viso: prugne, ciliege, melanzane, cetrioli e aglio.

• La carnagione tende all'arancio con una combinazione di pesca per la guancia e ciliege rosse per le labbra.

• Dal colletto escono delle spighe di grano: l'estate è la stagione della mietitura. Sul colletto l'autore pone la firma.

• Un carciofo fa da ornamento all'abito dell'uomo.

Margherita Oggero

Margherita Oggero vive a Torino dove ha insegnato lettere nelle scuole superiori e medie per diversi anni e ha collaborato con la RAI per l'allestimento di programmi radiofonici. Ha esordito nel mondo della letteratura nel 2002 con *La collega tatuata* (Mondadori), da cui è stata tratta la sceneggiatura per l'omonimo film. È anche autrice di *Una piccola bestia ferita* (2003) e *L'amica americana* (2005).

Il brano che segue è tratto da La collega tatuata, *un giallo divertente e movimentato. L'intreccio si svolge a Torino dove la protagonista, l'insegnante Camilla Baudino, indaga sulla morte dell'odiata collega Bianca De Lenchantin.*

Il brano riporta una riflessione della protagonista prima di andare a fare la spesa. Le descrizioni del supermercato e del mercato offrono uno spunto all'autrice per dipingere un quadro della Torino odierna con tutti i colori, gli odori e i rumori del caso. Un gesto quotidiano, la spesa, si trasforma così in una occasione per fare uno schizzo divertente e movimentato di due realtà così simili eppure così diverse: il vecchio ma sempreverde mercato e la modernità della grande distribuzione. Il testo diventa particolarmente espressivo nella descrizione del mercato di Porta Palazzo.

Supermercato o Porta Palazzo? Ciascuna opzione presentava dei pro e dei contro. Supermercato significava automobile, quattro chilometri all'andata e quattro al ritorno di strade intasate, tentazioni consumistiche di offerte speciali e tre per due, frutta verdura formaggi carne celofanati invassoiati e plastificati ma significava anche parcheggio garantito, carrello maneggevole, passaggio facile tra le corsie, nessuna fregatura sul peso dei cibi e trasporto comodo fino a casa. Porta Palazzo comportava ressa da stadio, mani di velluto in cerca di portafogli, caviglie scorti-

cate dalle maledette borse carrello, peso aleatorio (otto etti a tutti, nove a qualcuno, un chilo a nessuno, secondo il vecchio detto popolare). In compenso – a prezzi stracciati – una festa dei sensi, una dovizia di forme colori odori da far scattare il desiderio medievale e infantile dell'enumerazione: piramidi di mele pere kiwi, ghirlande d'uva, muri compatti di pomodori e patate d'ogni tipo, trecce d'aglio e cipolle, verzieri d'insalata, il sole di cachi carote e zucche, l'allegro tricolore di peperoni gialli rossi e verdi, e finocchi cavoli broccoli lampascioni cime di rapa melanzane zucchine spinaci sedani ravanelli di tutte le varietà primaticce stagionali o tardive. […]

Nel padiglione del pesce, un universo di vite guizzanti e palpitanti ma prossime alla fine, cadaveri squamosi dall'occhio più o meno vitreo sbattuti sul marmo funerario […] e un tanfo compatto invasivo. Sotto la tettoia dell'orologio (dove vegetariani e anime delicate stramazzavano subito) un'ostensione sfrontata di rognoni granelli fegati e trippe, quarti di bue o di vitello in sezioni anatomiche, capponi polli faraone fagiani appesi ai ganci a testa in giù, maialini cinghiali e agnelli su letti di alloro e di mirto e poi anche formaggi di ogni tipo, da quelli asettici a quelli crostosi e muffosi che franano e squagliano, in barba a tutte le norme CEE e alle direttive igieniche nazionali. Come i cani, inguinzagliati o no, che fanno la spesa coi padroni malgrado i cartelli proibitivi, e i venditori senza camici cuffie pinze e guanti di plastica che tagliano lo spezzatino o affettano il gorgonzola tremulo con le stesse mani con cui contano i soldi e ti danno il resto.

Festa di laurea

(1985) di Pupi Avati, con Carlo Delle Piane, Nik Novecento e Aurore Clément

Il regista Pupi Avati

Il film racconta l'organizzazione e lo svolgimento di una festa di laurea negli anni Cinquanta. Carlo Delle Piane interpreta Vanni, un pasticciere ingenuo e semplice. Vanni viene contrattato da Gaia, la donna cha ha sempre amato, per preparare la festa di laurea di sua figlia. A lui il compito di restaurare una vecchia casa di campagna e di organizzare il menù per gli invitati. Si tratta di una sfida non facile che però Vanni decide di accettare. La festa non riuscirà e la padrona non risparmierà le critiche al povero pasticciere.

Nulla comunque intaccherà la semplicità e la dignità del personaggio.

Festa di laurea è una commedia dai toni un po' amari in cui i personaggi si muovono intorno al casolare di campagna, dove si festeggia l'evento con un pranzo immenso. Il menù previsto da Vanni prevede una lunga carrellata di piatti e portate come solo nelle occasioni importanti si faceva e ancora si fa in Italia.

---

 1. Collegate le frasi utilizzando gli opportuni elementi del discorso (congiunzioni, preposizioni, avverbi etc.). Se necessario, eliminate o eventualmente sostituite alcune parole.

L'ultimo film di Pupi Avati non è piaciuto al pubblico
molti spettatori non hanno apprezzato il ritmo del film
il film è un po' lento
L'ultimo film di Pupi Avati non è piaciuto molto al pubblico che non ha apprezzato il ritmo del film giudicato un po' lento.

---

1. Gaia chiede una cosa a Vanni
   lei vuole festeggiare la laurea della figlia
   Gaia vuole chiedere a Vanni di occuparsi della festa di laurea

   ....

   ....

   ....

2. Vanni è sempre stato segretamente innamorato di Gaia
   lei si mostra irriconoscente nei suoi confronti
   alla fine del film Vanni immagina di confessarle il proprio amore

   ....

   ....

   ....

3. I film di Pupi Avati sono sempre un po' tristi
   i suoi personaggi sono malinconici
   il personaggio di Vanni è malinconico

   ....

   ....

   ....

4. La festa di laurea si svolge in una vecchia casa di campagna
   la casa è stata sistemata da Vanni per l'occasione
   gli invitati sono molti

   ....

   ....

La stampa in Italia

I giornali hanno sempre avuto un ruolo di primo piano nella società italiana: quotidiani e periodici sono i canali principali per la diffusione delle notizie, della cultura, delle idee, della moda, della pubblicità e più in generale dell'informazione.

Fin dalla sua nascita, la stampa giornalistica ha descritto i momenti più importanti della nostra Storia. Da sempre legata alla politica e alle battaglie per la libertà, in alcuni casi la stampa è la voce ufficiale di una determinata corrente politica.

All'origine della nascita dei principali giornali contribuisce l'intreccio di grandi interessi economici e

finanziari legati al processo di industrializzazione. L'intervento di grandi famiglie nell'editoria è un primo segnale dello stretto rapporto che intercorre fra imprenditoria e attività politica.

Il primo quotidiano nasce durante il Risorgimento: è *La Nazione* di Firenze, uscito nel 1859, seguito dal *Giornale di Sicilia* (1860) e dal *Corriere della Sera* di Milano (1876). In questa primissima fase, il formato è molto ridotto a causa dell'elevato costo della carta ricavata dagli stracci e della produzione ancora artigianale. La circolazione è dunque molto limitata ed è destinata ad un ristretto gruppo di persone istruite. Con la meccanizzazione del processo di

stampa e l'aumento dell'alfabetizzazione della società, i quotidiani cominciano a rivolgersi ad un pubblico più vasto.

I quotidiani moderni soddisfano le curiosità e le esigenze di ogni componente della famiglia. In altre parole, viene offerto un giornale per tutti. Un giornale pensato per la portinaia e per l'intellettuale, per l'operaio e per l'ingegnere, per l'impiegato e per il manager. Nel campo dell'informazione le riviste settimanali hanno un'importanza fondamentale, in quanto trattano diversi temi politici, sociali, economici e di attualità. Le più importanti e diffuse sono *L'espresso* e *Panorama*.

L'espresso
(www.espressonline.it)

Panorama
(www.panorama.it)

Per promuovere la cultura, *l'Espresso* e *Panorama* offrono una serie di inserti che il lettore può richiedere quando compra la rivista. I gadget più diffusi sono film DVD, CD e libri. Accanto ai settimanali d'opinione, esiste un'immensa varietà di riviste e periodici destinati ad un pubblico specifico (riviste femminili, scientifiche, letterarie, di arte, di arredamento, per adolescenti, fumetti, ecc.).

Focus (www.focus.it)

Donna moderna
(www.donnamoderna.com)

Gli italiani e la stampa

Quanti sono gli italiani che leggono un quotidiano con regolarità? Secondo i dati emersi da un'indagine condotta dall'Eurisko (istituzione che opera nel campo della ricerca sociale), solo centoventotto italiani su mille leggono ogni giorno un quotidiano, meno rispetto alla Romania, dove i lettori abituali sono almeno duecento su mille. Negli Stati Uniti sono ducentosettantaquattro mentre in Norvegia si arriva addirittura a settecentocinquanta.

Attualmente in Italia si vendono sei milioni di copie, mentre 25 anni fa se ne vendevano un milione e

nuiti del 49%. Nella fascia d'età che va dai 14 ai 19 anni, solo un ragazzo su dieci legge tutti i giorni un quotidiano. All'interno delle scuole italiane il rapporto studenti-quotidiani è molto ridotto: nelle ultime classi dei licei classici, 28 studenti su cento leggono un quotidiano da una a tre volte alla settimana, 32 circa una volta al mese, 26 raramente, 4 addirittura mai.

I giornali, dunque, non rappresentano il mezzo di informazione privilegiato per i giovani, ma è opportuno notare che Internet costituisce una fonte alter-

mezzo in più. Un dato nettamente inferiore rispetto a quello della Gran Bretagna e della Germania, in cui si vendono rispettivamente 18 e 23 milioni di quotidiani al giorno. Inoltre, ben il 41% degli intervistati è abituato a leggere il giornale nei luoghi pubblici, mentre solo il 25% dichiara di recarsi in edicola per acquistarlo.

Questi dati davvero sconfortanti riguardano un campione di lettori adulti, ma anche fra i più giovani sembra che la situazione sia allarmante. Negli ultimi cinque anni, infatti, i lettori giovani sono diminuiti

nativa di notizie, dato che sempre più spesso offre uno spazio di informazione e cultura molto vasto.

In questa situazione si stanno ricavando uno spazio importante, all'interno del mercato, i quotidiani gratuiti, distribuiti per strada o sui mezzi di trasporto pubblico nelle maggiori città. Articoli brevi e concisi, senza approfondimenti, con rapidi sguardi alla cronaca locale, allo spettacolo e allo sport, il tutto a costo zero per il lettore: è questa la nuova frontiera dell'informazione su carta stampata.

1. Questionario di comprensione.

1. Quanti italiani su mille leggono normalmente un quotidiano?

2. Rispetto a 25 anni fa, si vendono più o meno quotidiani in Italia?

3. Si vendono più giornali in Gran Bretagna o in Germania?

4. Negli ultimi anni, di quanto sono diminuiti i lettori giovani?

5. Nelle ultime classi dei licei quanti sono gli studenti che leggono i giornali più di una volta alla settimana?

6. Qual è la fonte alternativa preferita e più utilizzata per l'informazione e la cultura?

2. Riordinate la seguente intervista.

1. *Giornalista*: **Buongiorno, sono un giornalista del *Corriere della Sera*. Sto facendo un sondaggio sul rapporto degli italiani con la stampa. Potrei far-Le qualche domanda?**

2. *Intervistato*: Va bene.

3. *Giornalista*: Quindi Lei non compra il giornale in edicola.

4. *Intervistato*: Sì. Per questo non leggo molto i giornali. Per tenermi informato io penso che un telegiornale sia più che sufficiente.

5. *Giornalista*: Allora Lei guarda il telegiornale tutte le sere?

6. *Intervistato*: Beh, a dire il vero, tutti i giorni proprio no.

7. *Giornalista*: Quante volte legge il giornale durante una settimana?

8. *Intervistato*: Io penso che la causa principale sia la presenza di media alternativi ai giornali, come ad esempio la televisione, la radio o Internet, nei quali le notizie vengono dette e ripetute molte volte.

9. *Giornalista*: Lei legge i giornali tutti i giorni?

10. *Intervistato*: Più o meno tre. La mattina prima di cominciare a lavorare o nella pausa pranzo.

11. *Giornalista*: Lei lo sa che negli ultimi anni c'è stata una forte diminuzione del numero dei lettori dei giornali? Secondo Lei, qual è la causa?

12. *Intervistato*: Normalmente no. Lo compro solo quando c'è qualcosa che mi interessa leggere.

Un'intervista

Un giornalista al lavoro

L'ordine esatto è: 1 _ _ _ _ _ _ _ _ _ _ _

 3. Completate i dialoghi coniugando i verbi tra parentesi secondo il modello.

- Secondo te, perché i giovani italiani leggono poco i quotidiani?
- Mah..., non lo so, penso che preferiscano leggere le notizie su Internet.

1. - ... (*esserci*) molta stampa sportiva in Italia?
   - ... agli italiani (*piacere*) molto lo sport, soprattutto il calcio.
2. - ... il giornalista (*preferire*) non fare i nomi dei colpevoli?
   - ... lui (*credere*) che non fosse opportuno.
3. - ... il direttore (*non venire*) in redazione oggi?
   - ... (*andare*) a una conferenza all'università.
4. - ... *La Repubblica* (*scegliere*) di intervistare Bernardo Bertolucci?
   - ... lo (*decidere*) perché sta per uscire il suo ultimo film.
5. - ... Paolo non (*essere*) presente alla riunione di redazione?
   - ... non (*avere*) tempo perché doveva terminare il suo articolo.
6. - ... il *Corriere della Sera* (*uscire*) in versione ridotta oggi?
   - ... molti dei suoi giornalisti (*essere*) ancora in sciopero.

 4. Lavorando in coppia, provate a scrivere e poi interpretare un dialogo in cui un giornalista fa un'intervista ad un cittadino sul rapporto stampa-società. Scrivete almeno quattro battute per ognuno.

Giornalista: 1.

Intervistato: 1.

Giornalista: 2.

Intervistato: 2.

Giornalista: 3.

Intervistato: 3.

Giornalista: 4.

Intervistato: 4.

Ripassiamo il Congiuntivo

Il Modo Congiuntivo si usa con i verbi che nella frase principale esprimono:

Un'opinione

Penso che Claudio sia uno studente intelligente.

Volontà, desiderio

Preferisco che gli studenti parlino in italiano.

Necessità (forma impersonale)

È necessario / Bisogna che tu faccia attenzione.

Probabilità, possibilità (forma impersonale)

È probabile che Antonio sia andato al mercato.

Giudizio

Mi dispiace che tu abbia preso questa decisione.

Il Modo Congiuntivo si usa anche dopo congiunzioni e locuzioni come:

Affinché

Il professore ripete la spiegazione affinché tutti possano capire meglio.

A patto che / A condizione che / Basta che / Purché

Ve lo dico a patto che voi non lo raccontiate a nessuno.

A meno che

Andremo a Palermo in aereo a meno che tu non abbia cambiato idea.

Benché / Malgrado / Nonostante / Sebbene

Malgrado sia una persona molto giovane, è molto responsabile.

Prima che

Metterò in ordine la casa prima che torni la mamma.

5. Completate le seguenti frasi coniugando i verbi fra parentesi al modo e al tempo opportuno.

1. Benché tu (*studiare*) _____ molto, ieri non (*fare*) _____ un buon esame.

2. Io non (*volere*) _____ che voi (*arrivare*) _____ in ritardo a lezione.

3. (*Essere*) _____ molto probabile che oggi (*esserci*) _____ sciopero dei trasporti.

4. Mi (*dispiacere*) _____ che tu non (*volere*) _____ uscire con me domani sera.

5. Io (*preferire*) _____ che tu (*chiamarmi*) _____ prima di venire a casa mia.

6. "Dove (*andare*) _____ Paolo e Michela?" "Non lo so, può darsi che (*andare*) _____ al cinema."

7. Va bene, (*potere*) _____ venire anche i tuoi amici, basta che non (*disturbare*) _____ .

8. Mi sembra che ieri Carla (*svegliarsi*) _____ presto.

 5. Completate le seguenti definizioni.

1. Un programma culturale può essere	**2. Un programma per bambini può essere**

a. un varietà

b. una partita di calcio

c. un documentario

a. un cartone animato

b. un programma di attualità

c. un telegiornale

3. Chi racconta una partita di calcio è	**4. Un insieme di puntate costituisce**

a. il telecronista

b. il conduttore

c. il presentatore

a. un episodio

b. una serie

c. un programma

Quante volte suona il postino di un noto film con Jack Nicholson?

5. Un programma televisivo in cui si approfondisce un determinato argomento è	**6. Un programma di attualità a cadenza regolare è**

a. un servizio

b. un varietà

c. un telefilm

a. un film

b. una rubrica

c. uno scoop

6. Parliamone insieme.

1. Quali sono i canali principali della televisione del vostro Paese? Quali sono pubblici e quali privati? Descrivete le qualità e i difetti degli uni e degli altri.
2. Quali sono le trasmissioni più seguite?
3. Che tipo di programmi preferite e perché?
4. Quali sono i programmi che ritenete utili, quali inutili e perché?
5. Quando un programma viene interrotto dalla pubblicità che cosa fate? Secondo voi la pubblicità riduce la qualità della televisione? Esprimete e confrontate le vostre opinioni.
6. Secondo voi la televisione deve avere un ruolo educativo, deve essere un momento di svago o deve avere entrambe queste funzioni? Create un dibattito in classe.

Come nasce la radio

Nel 1901 il fisico italiano Guglielmo Marconi (1874-1937, premio Nobel 1909) lancia il primo messaggio radiotelegrafico attraverso l'Atlantico. Il successo di questo primo tentativo dell'inventore italiano stimola la ricerca di altri scienziati, cosicché nel 1915 la trasmissione radiofonica diventa una realtà capace di varcare i confini dell'oceano.

La prima stazione trasmittente da parte dell'URI (Unione Radiofonica Italiana), società costituita da Marconi, diventa operativa nel 1924. Mussolini, comprendendo le potenzialità e l'importanza del nuovo mezzo di comunicazione, fonda una nuova

società, l'EIAR, che apre stazioni radiofoniche in varie città italiane. Ma le apparecchiature dell'epoca risultano estremamente costose e quindi riservate ad una elite ristretta. La produzione di apparecchi di buona qualità a costi contenuti permette un aumento del numero di abbonati e una più grande diffusione delle notizie. Durante la seconda guerra mondiale, la radio diventa un potente strumento di propaganda del regime ma anche, attraverso Radio Londra, di informazione "alternativa". Alla fine della guerra l'EIAR si trasforma, prendendo il nome attuale di "RAI" (Radio Audizioni Italiane).

Negli anni '70 si assiste alla proliferazione delle emittenti radiofoniche private, a diffusione locale o nazionale. Se, all'inizio e per lungo tempo, le trasmissioni via etere sono state monopolio di stato, la normativa di legge del 1990 legittima un sistema pluralistico aperto alle emittenti private su scala nazionale e locale.

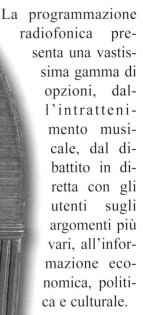

La programmazione radiofonica presenta una vastissima gamma di opzioni, dall'intrattenimento musicale, dal dibattito in diretta con gli utenti sugli argomenti più vari, all'informazione economica, politica e culturale.

L'anno che verrà (1978) - Lucio Dalla

Caro amico ti scrivo, così mi distraggo un po'
e siccome sei molto lontano, più forte ti scriverò.
Da quando sei partito c'è una grossa novità
l'anno vecchio è finito ormai, ma qualcosa ancora qui non va.

Si esce poco la sera compreso quando è festa
e c'è chi ha messo dei sacchi di sabbia vicino alla finestra.
E si sta senza parlare per intere settimane
e a quelli che hanno niente da dire del tempo ne rimane.

Ma la televisione ha detto che il nuovo anno
porterà una trasformazione, e tutti quanti stiamo già aspettando.
Sarà tre volte Natale e festa tutto il giorno
ogni Cristo scenderà dalla croce e anche gli uccelli faranno ritorno.
E ci sarà da mangiare, e luce tutto l'anno
anche i muti potranno parlare mentre i sordi già lo fanno.

Lucio Dalla

E si farà l'amore, ognuno come gli va.
Anche i preti potranno sposarsi, ma soltanto a una certa età.
E senza grandi disturbi qualcuno sparirà
saranno forse i troppo furbi o i cretini di ogni età.

Vedi caro amico, cosa ti scrivo e ti dico
e come sono contento di essere qui in questo momento.
Vedi vedi vedi vedi, vedi caro amico cosa si deve inventare
per poter riderci sopra, per continuare a sperare
E se quest'anno poi passasse in un istante
vedi amico mio, come diventa importante che in quest'istante ci sia
anch'io.

L'anno che sta arrivando tra un anno passerà
io mi sto preparando: è questa la novità.

 1. (traccia 11) **Ascoltate i due radiogiornali sulla situazione delle strade italiane e indicate a quale dei due si riferiscono le affermazioni.**

1. Sta ancora scendendo la neve fra il Brennero e Bressanone.	*I / II*
2. Massima prudenza per chi guida i mezzi pesanti sulle autostrade del Sud.	*I / II*
3. Un mezzo pesante ha bloccato il traffico causando tre chilometri di coda.	*I / II*
4. Nel Lazio ci sono alcune code sull'Autosole a causa dei lavori.	*I / II*
5. A Milano il maltempo ha causato problemi ai mezzi pubblici.	*I / II*
6. La nebbia ha ridotto la visibilità in prossimità dei trafori.	*I / II*

L'arte del fumetto
Immagini e storie senza noia né pedanteria

Nato negli Stati Uniti sul finire del XIX secolo, il fumetto si può ormai considerare una vera e propria forma d'arte che in Italia ha una lunga e prestigiosa tradizione. Dal 1908, anno in cui esce in edicola il primo numero del *Corriere dei Piccoli* (prima testata integralmente dedicata al fumetto), questo genere artistico ha avuto una vasta diffusione e ha conosciuto una profonda evoluzione sia nel testo che nelle immagini.

Ai suoi esordi, il fumetto italiano è costituito da belle tavole a cui però mancano i cosiddetti *balloon*, le nuvolette contenenti le battute dei personaggi, che saranno introdotte nel 1932. Durante gli anni Trenta la censura fascista impone alcuni limiti alla creatività degli autori, i quali devono evitare troppi riferimenti a eroi con nomi stranieri, sgraditi al regime. In questa fase il fumetto è orientato verso il genere d'avventura con la celebre serie *L'Avventuroso*. Nel dopoguerra si afferma il fumetto a "striscia", e comincia ad imporsi il celebre libretto *Topolino*.

Nel 1948 viene creato dalla matita di Gian Luigi Bonelli uno dei personaggi mito della fumettistica italiana: *Tex Willer*, un cow-boy leale, dalla pistola infallibile, che combatte contro banditi, trafficanti d'armi e d'alcol e politici corrotti.

A partire dagli anni Sessanta il fumetto italiano comincia a conquistare masse di lettori sempre più numerose, grazie anche all'ideazione dei fumetti "neri" in cui i protagonisti sono eroi negativi. Fra questi ricordiamo *Diabolik* delle sorelle Angela e Luciana Giussani. Il loro personaggio è un auda-ce e intelligente ladro, maestro nei travestimenti che è aiutato da una compagna davvero speciale: Eva Kant, una donna spregiudicata e indipendente, amante del lusso. Nel 1965 esce in edicola *Linus,* una delle più importanti riviste dedicate al fumetto, la prima al mondo ad ospitare diversi autori e diverse storie.

Da questo momento il cosiddetto fumetto d'autore prende piede anche negli ambienti culturali, perdendo il suo alone frivolo e destinato solamente a un pubblico di ragazzini. I nomi di spicco sono Hugo Pratt con il suo avventuroso *Corto Maltese*, Milo Manara, che con la sua *Jolanda de Almaviva* realizza una serie di disegni ad alto contenuto erotico, Guido Crepax, che crea *Valentina*, un eroe femminile famoso in tutto il mondo per le sue doti seduttive che molto spesso la portano a rimanere senza veli.

Negli anni Settanta Andrea Pazienza contribuisce ad un ulteriore rinnovamento dell'arte fumettistica. Le sue storie costituiscono una rottura con il passato per il linguaggio multiforme e la forte vena auto-

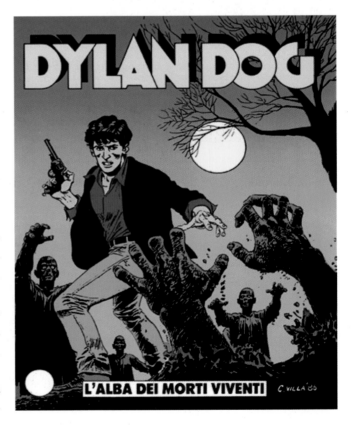

biografica nell'elaborazione di veri e propri "romanzi grafici" con un inizio e una fine.

Muovendosi nello scenario politico del movimento studentesco del Settantasette bolognese, questo autore trova sempre occasione di esprimere una manifesta o velata satira politica con personaggi al limite del grottesco.

Negli anni Ottanta la casa editrice Bonelli sforna una serie di personaggi destinati a lasciare il segno: fra questi, quello che continua ad andare per la maggiore è *Dylan Dog*. Ideato da Tiziano Sclavi, questo personaggio (i cui tratti estetici si ispirano all'attore inglese Rupert Everett) è alle prese con mostri d'ogni genere, misteri insoluti e donne che cadono ai suoi piedi ammaliate dal suo fascino di "indagatore dell'incubo". In *Dylan Dog*, come del resto in altri recenti eroi dei fumetti come *Nathan Never* o *Martyn Mistère*, le avvincenti storie che ci vengono narrate hanno un linguaggio al passo con i tempi e tematiche che forniscono spunti di riflessione ai lettori senza annoiarli mai.

Tavola di Milo Manara

1. Comprensione. Rispondete alle domande.

1. Quali erano, dal punto di vista grafico, le caratteristiche del fumetto italiano ai suoi esordi?
2. Durante il fascismo qual'era l'atteggiamento delle autorità nei confronti del fumetto?
3. Come potete caratterizzare il personaggio di *Tex Willer*?
4. Quale celebre personaggio hanno creato le sorelle Giussani? Descrivetene le peculiarità.
5. Quali sono le caratteristiche della rivista *Linus*?
6. Hugo Pratt, Milo Manara e Guido Crepax sono tre grandi nomi del fumetto d'autore. Citate brevemente i loro personaggi dicendo in quale periodo hanno cominciato ad affermarsi.
7. Chi è il grande protagonista del fumetto degli anni Settanta in Italia? Quali sono i suoi grandi meriti?
8. Quale grande personaggio è stato ideato da Tiziano Sclavi? Quali avventure sono descritte nelle sue storie?
9. Quali sono i tratti tipici del linguaggio dei fumetti più recenti come *Dylan Dog*, *Nathan Never* o *Martin Mystère*?

2. (Traccia 12) **Ascoltate l'intervista sui servizi che Internet offre ai bambini e completate le frasi con le parole mancanti.**

1. Grazie di essere con noi, per illustrarci un progetto che si chiama *Sebina Ragazzi* .... di navigare in modo nuovo e inconsueto proprio fra libri, giochi e opere multimediali.

2. Mah, si tratta di una soluzione, di un prodotto software che è al .... nell'ambito delle biblioteche.

3. Mah, ci sono delle esperienze a livello internazionale e qualche piccola ....

4. Non c'è soltanto .... ma ci sono tutta una serie di servizi che il bambino può, diciamo, utilizzare.

Il muro di gomma

(1991) di Marco Risi, con Corso Salani, Angela Finocchiaro, Ivo Garrani

Il regista Marco Risi

Il 27 giugno 1980 un aereo DC9 dell'Itavia esplode in volo nei cieli di Ustica e precipita in fondo al mare. La direzione del *Corriere della Sera* incarica Rocco, un giovane giornalista, di compiere un'inchiesta per fare luce sulle cause che hanno condotto al tragico incidente.

Dopo avere visto da vicino lo strazio dei famigliari delle ottantuno vittime innocenti, Rocco intraprende da solo il difficile cammino di scoperta della verità. I silenzi ufficiali, le versioni inattendibili, l'ambiguo comportamento dei vertici militari e dei Servizi Segreti, gli uomini politici quasi sempre reticenti ad affrontare il tema, sono gli ostacoli che il giornalista si troverà ad affrontare. In questa allucinante indagine, in cui tutto sembra difficile da definire in maniera univoca, si fa strada l'ipotesi che il DC9 sia stato colpito da un missile. Dopo nove anni di solerti investigazioni, vengono scoperte le complicità degli apparati militari nell'avere mantenuto all'oscuro l'opinione pubblica italiana su questo tragico fatto di cronaca.

Il film è un elogio al lavoro di ricerca svolto da questo infaticabile giornalista, che arriva a sacrificare la propria vita sentimentale pur di rendere un minimo di giustizia alle vittime, ma esprime anche lo sdegno che si prova nei confronti di una vicenda che palesa le colpe e le impunità di alcuni settori delle istituzioni.

 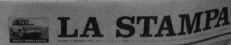
1. Collegate le frasi utilizzando gli opportuni elementi del discorso (congiunzioni, preposizioni, avverbi etc.). Se necessario, eliminate o eventualmente sostituite alcune parole.

1. Rocco è un giovane giornalista del *Corriere della sera*
   Rocco è incaricato di indagare sulle cause che hanno condotto alla tragedia
   la tragedia è quella del DC 9 esploso in volo nei cieli di Ustica

   ....

   ....

2. Il giornalista constata da vicino lo strazio dei famigliari delle vittime
   lo strazio dei famigliari delle vittime è descritto con grande realismo
   il giornalista decide di cominciare la sua indagine

   ....

   ....

3. Nell'indagine si fanno strada varie ipotesi
   l'ipotesi più plausibile è quella del missile
   il missile avrebbe colpito in volo il DC 9

   ....

   ....

4. Gli apparati militari hanno mantenuto all'oscuro l'opinione pubblica
   l'opinione pubblica aveva il diritto di conoscere i risvolti di questa tragica vicenda
   nella vicenda alcuni settori delle istituzioni hanno goduto della massima impunità

   ....

   ....

Oriana Fallaci: giornalismo, passione, verità

Oriana Fallaci

Nata a Firenze nel 1930, fin da giovane si impone nel mondo del giornalismo con brillanti e audaci interviste che affrontano temi di grande attualità. A questa fase appartengono i suoi primi libri tra cui *Il sesso inutile* (1961) e *Penelope alla guerra* (1962). La sua appassionata e coraggiosa concezione del giornalismo l'ha portata a misurarsi in prima persona con imprese esaltanti e vicende drammatiche come la guerra del Vietnam, che ha ispirato *Niente e così sia* (1969) e con le interviste ai grandi protagonisti della nostra epoca (*Intervista con la storia*, 1974). Il successo mondiale di *Lettera a un bambino mai nato* (1975) e *Un uomo* (1979) consacra la sua vocazione letteraria. Nel 1990 pubblica *Insciallah*, romanzo in cui riporta la sua esperienza di inviato in Libano e nel 2001, dopo anni di silenzio, ritorna alla ribalta con *La rabbia e l'orgoglio*, pamphlet nato a seguito degli attentati dell'11 settembre. Nell'ultima sua opera, *La forza della ragione* (2004), Oriana Fallaci sfodera tutta la sua forza espressiva per controbattere alle critiche ed agli attacchi ricevuti da più parti per il contenuto del precedente libro. Muore a Firenze il 15 settembre 2006 a 77 anni, stroncata da un tumore che la affliggeva da diversi anni.

UN UOMO

Il primo brano riporta alcuni frammenti dell'apologia di Panagulis al processo-farsa cui fu sottoposto a seguito del suo tentativo di attentare alla vita di Papadopulos, tiranno a capo del regime dei colonnelli nella Grecia dei primi anni Settanta. Il secondo brano introduce il rapporto sentimentale che, a partire dalla prima intervista, ha legato Oriana Fallaci ad Alekos Panagulis.

1. «Fui sempre, e sono, un combattente che lotta per una Grecia migliore, un domani migliore, una società insomma che creda nell'Uomo. Se io mi trovo qui è perché credo nell'Uomo. E credere nell'Uomo significa credere nella sua libertà. Libertà di pensiero, di parola, di critica, di opposizione: tutto ciò che il golpe fascista di Papadopulos ha eliminato un anno fa. [...] io non amo la violenza. La odio. Non mi piace nemmeno l'assassinio politico. Quando esso avviene in un paese dove esiste un libero Parlamento e ai cittadini è data la libertà di esprimersi, di opporsi, di

pensare in maniera diversa, io lo condanno con disgusto e con ira. Ma quando un governo si impone con la violenza e con la violenza impedisce ai cittadini di esprimersi, di opporsi, addirittura di pensare, allora ricorrere alla violenza è una necessità. Anzi un imperativo. Gesù Cristo e Gandhi ve lo spiegherebbero meglio di me. Non c'è altra via, e che io non vi sia riuscito non conta. Altri seguiranno. E riusciranno. Preparatevi e tremate. [...] accetto fin d'ora questa condanna. Perché il canto del cigno di un vero combattente è il rantolo che egli emette colpito dal plotone di esecuzione di una tirannia.»

2. Conoscevi l'italiano, lo avevi studiato in carcere, ma in quegli anni avevi conversato con la grammatica e basta, quindi preferivi che lui [Andrea] facesse da interprete. Desideravi anzitutto scusarti di ricevermi in una stanza da letto, era la stanza da letto di tua madre e l'unico luogo dove potessimo parlare indisturbati; desideravi inoltre spiegare che quelli erano i miei libri tradotti in greco, che per ottenerne uno avevi fatto lo sciopero della fame, che nella solitudine della tua cella ti avevano spesso fatto compagnia e le rose significavano questo. [...] Io ascoltavo sbalordita, incapace di rispondere con una frase qualsiasi: che uomo era quest'uomo che appena uscito dal carcere si preoccupava di ricevermi con un simile omaggio, dirmi simili cose, e perché invece di lusingarmi tutto ciò raddoppiava l'inquietudine, l'angoscia, l'inspiegabile minaccia che avevo avvertito a udirne la voce?

Bisognava liberarsi al più presto di lui, ridimensionare l'incontro, chiarire che mi trovavo lì per lavoro, per un'intervista. [...] presi a interrogarti: professionale, fredda. Ma intanto ti esaminavo disperatamente, freneticamente, tentando di risolver l'enigma, decifrare il fascino anzi la magia che emanava da te. C'era qualcosa in te, mi dicevo, che nel medesimo tempo attraeva e respingeva, struggeva e terrorizzava. Come quando si guarda dall'ultimo piano di un grattacielo e ci sembra di volare, ma insieme ci sembra di precipitare nel vuoto. [...] E fu tremendo. Perché di colpo tutto fu chiaro, [...] non si stava svolgendo soltanto una resa dei conti con le mie scelte ideali e i miei impegni morali, con ciò che tu rappresentavi o volevo che tu rappresentassi, ma anche una partita a due, l'incontro di un uomo e di una donna portati ad amarsi dell'amore più pericoloso che esista: l'amore che mischia le scelte ideali, gli impegni morali, con l'attrazione e i sentimenti.

8. Consultando i film presenti in questa programmazione, discutete su quello che volete andare a vedere al cinema questa sera.

Cinema Corso
La vita è bella

Commedia / drammatico
Regia di Roberto Benigni, con Roberto Benigni e Nicoletta Braschi. In un campo di sterminio con la famiglia, Guido salva il figlio dall'orrore facendogli credere che è tutto un gioco.

Cinema Ariston
Il postino

Commedia
Regia di Michael Radford, con Massimo Troisi e Philip Noiret. Con l'arrivo di Neruda, in esilio in una piccola isola del Mediterraneo, il postino Mario impara l'arte della poesia.

Cinema Excelsior
L'ultimo imperatore

Drammatico
Regia di Bernardo Bertolucci, con John Lone e Joan Chen. La vita straordinaria di Pu Yi, l'ultimo imperatore della Cina: da giovane playboy in esilio fino alla solitaria e malinconica fine.

Cinema Apollo
Pane e tulipani

Commedia
Regia di Silvio Soldini, con Licia Maglietta e Bruno Ganz.
Per una serie di strane circostanze, Rosalba, casalinga di Pescara, si ritrova a Venezia dove cerca di riorganizzare la sua vita.

Cinema Marconi
Mediterraneo

Commedia
Regia di Gabriele Salvatores, con Diego Abatantuono e Claudio Bisio.
Rivalità, sogni e amori di un gruppo di soldati italiani abbandonati su un'isoletta greca. Alla fine della guerra qualcuno preferirà restare nell'isola.

 9. (Traccia 14) Ascoltate l'intervista a Gabriele Salvatores e rispondete alle domande.

	V	F
1. In alcuni film Salvatores ha descritto dei giovani che girano per il mondo.	X	
2. *Quo Vadis baby?* descrive persone che non vogliono reintegrarsi nel sistema.	X	
3. Gigio Alberti fa la parte di un regista del DAMS.	X	
4. Secondo Salvatores, solo in gioventù si possono avere sogni.		X
5. In *Marakech Express* i personaggi cercano di fare un aranceto nel deserto.	X	
6. Salvatores prova tenerezza per le persone che continuano ad avere sogni.	X	
7. Per Salvatores, alcuni si potrebbero pentire di avere abbandonato i loro sogni.	X	

I generi cinematografici

 1. Unite la definizione del film con il corrispondente genere cinematografico.

1. *Giallo* ⟶ **a.** Ha come tema un delitto di difficile soluzione su cui indaga un commissario di polizia o un investigatore privato.

2. *Comico* **b.** A lieto fine con contenuti critici e di satira.

3. *Drammatico* **c.** Filmato dal contenuto culturale o informativo.

4. *Commedia* **d.** Ottenuto con la ripresa dei movimenti di alcuni disegni.

5. *Fantascienza* **e.** Ispirato a un determinato periodo o evento del passato.

6. *Orrore* **f.** Contenuto e situazioni divertenti che provocano riso e ilarità.

7. *Storico* **g.** Costituito da immagini e situazioni che provocano sensazioni di paura.

8. *Documentario* **h.** A forte impatto emotivo caratterizzato da conflitti, passioni o forti contrasti fra i protagonisti.

9. *Animazione* **i.** Ambientato in un futuro in cui sono presenti le innovazioni scientifiche e tecnologiche più sofisticate.

10. *Guerra* **l.** Ambientato in un teatro bellico; i protagonisti sono soldati in battaglia.

 2. Completate il seguente schema.

	regista/attore		dirigere/recitare
pittura		quadro/affresco	
	scultore		
musica			
		libro	
teatro			

 3. Create dei dialoghi secondo il modello.

Es. *Quadro – pittore sconosciuto – esperto di pittura*
- Chi ha dipinto questo quadro?
- Non lo so, credo che lo abbia dipinto un pittore sconosciuto.
- Chi?
- E come faccio a saperlo? Non sono mica un esperto di pittura.

1. *Libro – autore belga – critico letterario*
2. *Opera teatrale – attori siciliani – occuparsi di teatro*
3. *Questo film – un regista giovane – intenditore di cinema*
4. *Aria musicale – musicista del secolo scorso – appassionato di musica classica*
5. *Busto – scultore antico – intendersi di scultura antica*
6. *Questo grattacielo – architetto italiano – sapere niente di architettura*
7. *Affresco – pittore medievale – critico d'arte*
8. *Questa poesia – poeta romantico – sapere tutto*

4.(Traccia 15) **Ascoltate le tre interviste realizzate all'uscita di un cinema e indicate a quale dei tre dialoghi si riferiscono le affermazioni.**

	A	B	C
1. I classici dell'orrore di norma ottengono successo.			X
2. Uno dei capi della rivolta era un delatore dell'autorità.	X		
3. Il finale era sicuramente inaspettato. *unexpected*	X		
4. La trama del film somiglia a quella dei film di un altro regista.			X
5. Il film ha un'ambientazione tropicale.		X	
6. Il finale non è molto originale.	X		
7. È ambientato in un altro periodo storico.			X
8. Il film è stato tratto da un romanzo.		X	

Spaghetti-Western

Sergio Leone

Negli anni '60 nasce in Italia un nuovo genere che ottiene rapidamente un successo planetario. Lavorando inizialmente con pochi mezzi ma con straordinaria abilità, Sergio Leone (1929-1989) diventa il maestro in assoluto di questo filone definito spaghetti-western perché di produzione totalmente italiana. La "trilogia del dollaro": *Per un pugno di dollari* (1964), *Per qualche dollaro in più* (1965) ed infine *Il buono, il brutto, il cattivo* (1966) ha fatto scuola e decreta un successo intramontabile per il regista e per Ennio Morricone, autore delle indimenticabili colonne sonore. I film, girati nel sud della Spagna e dell'Italia, simulano un far west arido e polveroso con inquadrature lunghissime su cui campeggiano i primissimi piani dei protagonisti. Il filone italiano è totalmente distinto dai film americani sulla conquista, popolati da indiani e cow boy, intrisi di amore ed eroico patriottismo americano; è duro e impietoso, annovera poche interpreti femminili, mette in scena la brutalità pura, il sadismo di killer spietati e di personaggi cinici e cattivi. L'assenza di un eroe introduce un'altra novità, e cioè la mancanza di confini tra il bene e il male che di solito permette di distinguere i protagonisti. I primi film sono girati con attori americani ancora poco conosciuti che raggiungono presto una fama internazionale, come Clint Eastwood.

Negli anni '70 trionfano alcuni film che uniscono all'ambientazione classica dei western una trama comica più legata alla tradizione della commedia all'italiana. Il titolo di maggior successo è *Lo chiamavano Trinità*, con il duo comico Bud Spencer e Terence Hill.

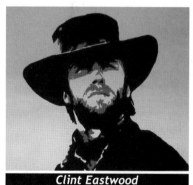

Clint Eastwood

5. Inserite la preposizione mancante, se necessario.

1. Sergio Leone non sperava ____ avere tanto successo.

2. Ha cercato ____ distinguersi ____ filone western prodotto in America.

3. Per il primo film poteva contare solo ____ attori sconosciuti.

4. Clint Eastwood è diventato famoso dopo ____ aver girato il primo western.

5. Gli attori italiani hanno deciso ____ adottare uno pseudonimo americano.

6. Il pubblico ama ____ questi personaggi malgrado il loro cinismo.

7. Le immagini sono accompagnate ____ una musica indimenticabile.

6. Utilizzate le seguenti informazioni per inventare delle interviste.

1. Intervistate un regista sul suo ultimo film chiedendogli	*2. Intervistate un attore/un'attrice sulla sua ultima interpretazione chiedendogli/le*

- di cosa tratta il suo film;
- in quanto tempo è stato realizzato;
- chi sono gli attori.

- il tipo di personaggio da lui/lei interpretato;
- la trama del film;
- chi sono gli altri protagonisti.

3. Intervistate uno spettatore all'uscita di un cinema chiedendogli	*4. Intervistate uno scrittore dal cui libro è stato tratto un film. Chiedetegli*

- quale argomento trattava il film;
- se gli è piaciuto e perché;
- secondo lui qual è il messaggio.

- se è soddisfatto del film e perché;
- cosa pensa degli attori protagonisti;
- in cosa il film si differenzia dal libro.

7. Osservate queste foto tratte da diversi film e descrivete la scena. Se necessario prendete degli appunti.

1. ....
2. ....
3. ....
4. ....

8. Rispondete alle domande secondo il modello.

Perché non ti piace questo attore?
Innanzitutto perché recita male **e poi** interpreta ruoli poco interessanti. **Oltretutto** mi è antipatico.

1. Perché non ti piace questo film?
   essere noioso / *durare* troppo / gli attori *recitare* male.
2. Perché non vuoi andare al cinema?
   non *avere* voglia di uscire / *essere* un po' stanco / *dovere* finire di studiare il capitolo di Storia.
3. Perché non ti piace questo regista?
   fare film incomprensibili / non *piacere* i soggetti trattati / *esserci* poco ritmo nelle scene.
4. Perché non ti piacciono i film dell'orrore?
   preferire i film comici / non *piacere* avere paura / non *trasmettere* un messaggio.
5. Perché hai noleggiato questo film?
   essere da tanto tempo che *volere* vederlo / *piacere* il regista che l'ha diretto / *piacere* anche a te.
6. Perché ti piace Sergio Leone?
   essere appassionato di film western / *scegliere* sempre attori formidabili / i suoi film *avere* un'ottima ambientazione.

Il neorealismo

Anna Magnani, la più grande interprete del Neorealismo

Il Neorealismo è stato uno dei filoni più importanti della cinematografia italiana. Le immagini dei capolavori dei grandi registi cinematografici quali Rossellini, Zavattini, Visconti e De Sica ci hanno fatto commuovere e soprattutto riflettere sulla condizione di miseria dell'Italia nei primi anni del secondo dopoguerra. *Roma città aperta* (1945), *Sciuscià* (1946), *Ladri di biciclette* (1948) o *Paisà* (1946) sono film leggendari che hanno come protagonisti i diseredati, gli emarginati, la cui vita era dominata dalla fame, dagli stenti e dalla violenza.

Lo scopo era di mostrare al pubblico questa drammatica situazione ricorrendo a immagini crude ed estremamente vive al fine di sensibilizzare le coscienze e far scaturire una riflessione critica sulle cause che determinano le ingiustizie sociali. Gli attori, quasi sempre non professionisti, utilizzano un linguaggio popolare che denota l'appartenenza ad una classe di persone non istruite. L'intenzione del regista era dunque mettere a nudo l'Italia reale del difficile periodo della "ricostruzione" attraverso una sincera descrizione di ambienti e personaggi che evidenziasse le contraddizioni esistenti nella società italiana di allora. Secondo questa prospettiva, si trattava di negare i tradizionali canoni estetici dell'arte per creare un cinema che avesse una funzione etico-sociale al servizio del popolo, che parlasse del popolo e che diffondesse un messaggio in favore della sua emancipazione.

Il cinema neorealista ha riscosso un notevole successo di critica, ma occupa una stagione breve: la società di allora preferiva un cinema di evasione che, con il miglioramento della situazione del Paese, finisce per trionfare a partire dalla metà degli anni '50 attraverso la fortunata corrente definita del *neorealismo rosa*, progenitore della commedia all'italiana.

1. Riscrivete le frasi senza modificare il significato.

1. I film del Neorealismo ci hanno fatto commuovere tutti.
   Con i film del Neorealismo ....
2. *Sciuscià* tratta della difficile realtà di due giovani lustrascarpe che vogliono acquistare un cavallo.
   In *Sciuscià* ....
3. Vittorio De Sica è stato un grande regista che ha diretto molti film importanti.
   Molti film importanti ....
4. Gli italiani hanno sempre amato i film del Neorealismo.
   Agli italiani ....
5. *Ladri di Biciclette* è un film in cui si descrive la drammatica realtà dell'Italia del dopoguerra.
   La drammatica realtà ....
6. *Roma città aperta* ha visto la magistrale interpretazione di Anna Magnani e Aldo Fabrizi.
   Aldo Fabrizi e Anna Magnani ....

Immagini tratte da Sciuscià *e* Ladri di biciclette

2. Fate dei dialoghi secondo il modello.

- *Benché il film sia brutto, gli attori recitano bene.*
- *Beh, l'importante è che gli attori recitino bene.*

1. - Benché il film (*essere*) .... vecchio, ci è piaciuto.
   - Beh, l'importante è

2. Nonostante questo film non (*vincere*) .... nessun premio Oscar, ha avuto molto successo.
   - Beh, l'importante è

3. Malgrado il produttore (*investire*) .... pochi soldi, il film è riuscito bene.
   - Beh, l'importante è

4. Benché la sua interpretazione non (*essere*) .... eccellente, al pubblico è piaciuta.
   - Beh, l'importante è

5. Malgrado l'attore (*essere*) .... stanco, ci ha concesso l'intervista.
   - Beh, l'importante è

6. Nonostante Gabriele Salvatores (*essere*) .... un regista giovane, ha già vinto un Oscar con il film *Mediterraneo*.
   - Beh, l'importante è

Malgrado, benché, nonostante, sebbene, quantunque sono congiunzioni con le quali si deve utilizzare il modo **Congiuntivo**.

Malgrado il film *abbia avuto molto* successo, mi ha annoiato moltissimo.

Benché *abbia studiato* molto, non ha superato l'esame.

Nonostante *ci fossero* tante persone, la festa era noiosa.

Sebbene Marco e Antonio *abbiano deciso* di tornare all'Università, non hanno rinunciato al lavoro.

3. Trasformate le seguenti frasi usando *benché, malgrado, sebbene* ecc., secondo il modello.

Mi *ha chiamato*, ma non mi ha detto niente.
Benché mi *abbia chiamato*, non mi ha detto niente.

1. Tu mi hai visto ma non mi hai salutato.

2. Paolo e Andrea sono venuti insieme, ma durante il pranzo non hanno mai parlato.

3. Antonio ha parlato con il professsore, ma non gli ha detto niente.

4. Alberto Sordi era un attore comico, ma ha interpretato anche ruoli drammatici.

5. Alessandra è molto intelligente, però studia pochissimo.

6. Vi abbiamo scritto una lettera, ma voi non avete preso in considerazione le nostre richieste.

7. Marco e Carlo hanno lavorato tutta la notte ma stamattina sono in ufficio come sempre.

8. Michela è andata a Roma in vacanza, però non ha visitato il Colosseo.

Federico Fellini con Marcello Mastroianni e Sofia Loren

Alberto Sordi

4. Create dei dialoghi secondo il modello.

- *Sei sicuro che è Benigni il regista di questo film?*
- *Sì, è lui.*
- *Incredibile, pensavo che fosse Bertolucci.*
- *Davvero?*
- *Sì, mi sembra di averlo letto in una rivista.*

1. Antonioni, regista, Fellini, radio.
2. Maria Grazia Cucinotta, attrice principale, Monica Bellucci, televisione.
3. Raul Bova, attore principale, Valerio Mastandrea, giornale.
4. Giulietta Masina, la moglie di Fellini, Anna Magnani, televisione.

Maria Grazia Cucinotta

Raul Bova

Monica Bellucci

Ripassiamo il Congiuntivo Imperfetto

	VERBI REGOLARI				VERBI IRREGOLARI		
	parl**are**	prend**ere**	cap**ire**		**essere**	**dire**	**fare**
...che io	parl**assi**	prend**essi**	cap**issi**	...che io	fossi	dicessi	facessi
tu	parl**assi**	prend**essi**	cap**issi**	tu	fossi	dicessi	facessi
lui/lei	parl**asse**	prend**esse**	cap**isse**	lui/lei	fosse	dicesse	facesse
noi	parl**assimo**	prend**essimo**	cap**issimo**	noi	fossimo	dicessimo	facessimo
voi	parl**aste**	prend**este**	cap**iste**	voi	foste	diceste	faceste
loro	parl**assero**	prend**essero**	cap**issero**	loro	fossero	dicessero	facessero

Esempio: Credo che Marco abbia ragione. / *Credevo* che Marco *avesse* ragione.

5. Trasformate al Passato le seguenti frasi usando il Congiuntivo Imperfetto.

1. Penso che in questo film Marcello Mastroianni e Sofia Loren recitino insieme.

Pensavo che in questo... recitassero insieme.

2. Mi sembra che Roberto Benigni sia un buon attore. *avessero recitato.*

Mi sembrava che Roberto Benigni fosse un buon attore.

3. Giulia pensa che Marco vada al cinema con sua sorella. *fosse stato*

Giulia pensava che Marco andasse al cinema con...

4. Bisogna che troviamo degli attori per il nuovo spettacolo. *fosse andato*

Bisognava che trovassimo degli attori per...

5. Voglio che tu veda quel film; è troppo bello. *avessimo trovato.*

Volevo che tu vedessi quel film; fosse troppo...

6. Ci pare che ad Antonio piaccia questo genere cinematografico. *avessi visto*

Ci parevamo che ad Antonio piacesse...

7. Immagino che un film dell'orrore non sia una buona scelta. *fosse piaciuto*

Immaginavo che un film... non fosse una buona...

8. Credo che Enzo compri una nuova telecamera. *fosse stata*

Credevo che Enzo comprasse una nuova telecamera.
avesse comprato.

*Scena da La stanza del figlio, un film di Nanni Moretti
che ha avuto molto successo anche all'estero*

Federico Fellini: il Maestro intramontabile

(Rimini, 1920 - Roma, 1993) Fellini ha immortalato nei suoi film situazioni e personaggi memorabili con uno stile unico, non catalogabile secondo precise definizioni di genere o corrente, che lo ha reso una figura artisticamente insuperabile all'interno del panorama cinematografico mondiale. La sua grande vena creativa si è imposta sulla scena per quarant'anni con film che sono diventati vere e proprie pietre miliari: *Lo sceicco bianco* (1952), *I Vitelloni* (1953), *La dolce vita* (1960), *8 ½* (1963), *Amarcord* (1973), *E la nave va* (1983) fino ad arrivare all'ultimo *La voce della luna* (1990). Sono solo alcuni dei suoi leggendari capolavori nei quali realtà e immaginazione si uniscono per stupire critica e spettatori. Le trame dei film pongono in rilievo ricordi di gioventù oppure mettono a nudo la degenerazione morale della classe borghese in un momento di profonda trasformazione socio-culturale del nostro Paese, senza però assumere posizioni moralistiche né politiche. Le immagini scenografiche che Fellini riesce a realizzare evocano dimensioni da sogno dove l'allegoria è lo strumento per rappresentare i sentimenti umani come la speranza, la paura, l'allegria e lo sconforto dinanzi alla solitudine. I personaggi, originali nella loro bizzarria e commoventi nella loro semplice umanità, hanno impresso un marchio indelebile nell'immaginario cinematografico, creando una galleria fatta di macchiette, dongiovanni, scansafatiche e donne dalle forme giunoniche. A proposito di donne, molta critica è concorde nel vedere proprio in Giulietta Masina, la moglie di Fellini, la sua Musa ispiratrice. Protagonista di diversi film come *La strada* (1954), *Giulietta degli spiriti* (1965) e *Ginger e Fred* (1986), con la sua figura dolce, timida, indifesa e rassegnata, Masina ha incarnato il modello di donna vittima delle avversità e della prepotenza. Altro elemento fondamentale che si lega alle opere di Fellini è la musica, nello specifico quella composta da Nino Rota, che è sempre stato a fianco del grande Maestro per la realizzazione delle colonne sonore. L'indubbio potenziale evocativo della musica di Rota ha reso ancora più suggestive le sequenze delle immagini, enfatizzandone le sfumature liriche. Federico Fellini ci ha dunque regalato un cinema indimenticabile, geniale nella trattazione dei soggetti, descritti con una grande satira accompagnata da una sottile malinconia: momenti unici, dove emozioni, esperienze e memoria si intrecciano in un tessuto artistico ideale.

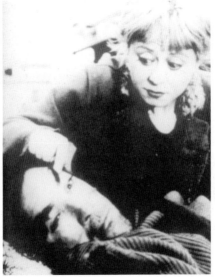

Giulietta Masina e Antony Quinn in La Strada

Anita Ekberg in La Dolce Vita

1. Comprensione. Rispondete alle domande.

1. Quali sono i soggetti e i temi ricorrenti nei film di Fellini?
2. Qual è la funzione dell'allegoria nell'impianto scenografico?
3. Come si possono descrivere i personaggi dei suoi film?
4. Quale immagine di donna ha saputo interpretare Giulietta Masina?
5. Che ruolo ha la colonna sonora di Nino Rota?

Nuovo cinema Paradiso

(1988) di Giuseppe Tornatore, con Marco Leopardi, Philippe Noiret, Salvatore Cascio, Antonella Attili, Leo Gullotta

Salvatore Di Vita è un affermato regista di origini siciliane che vive a Roma da molti anni. Alla notizia della morte del suo vecchio amico Alfredo, Salvatore decide di tornare nel suo paese natale. Il protagonista ripercorre allora tutta la sua infanzia.

La storia si svolge a Giancaldo, paesino della Sicilia, pochi anni dopo la fine della seconda guerra mondiale. In paese l'unico vero svago è la sala cinematografica *Paradiso*, gestita dal parroco che censura scrupolosamente tutti i film. Personaggio centrale della storia è Alfredo, il proiezionista della

sala, che su ordine del parroco taglia tutte le scene "scandalose" dei film a cominciare dai baci. Salvatore è un bambino di nove anni che fa il chierichetto; è molto legato ad Alfredo e con lui passa intere giornate nella cabina di proiezione. Questa sua grande passione per il cinema suscita le preoccupazioni materne. A diciotto anni Salvatore parte per il servizio militare e lascia tutto: il paese, la ragazza di cui è innamorato, il lavoro. Su consiglio di Alfredo, Salvatore non ritorna più a Giancaldo fino al giorno in cui la mamma gli annuncia la morte dell'amico.

1. Comprensione. Scegliete l'opzione corretta.

1. L'argomento principale del film è	**2. Il parroco del film è**

1. L'argomento principale del film è

a. la storia di un regista.
b. la storia di una passione per il cinema.
c. la vita in un piccolo paese della Sicilia.

2. Il parroco del film è

a. permissivo.
b. scrupoloso.
c. puritano.

3. Il bambino si appassiona

a. alla religione.
b. al cinema.
c. alle ragazze.

4. Salvatore lascia Giancaldo perché

a. è innamorato.
b. parte per il servizio militare.
c. accetta il consiglio di Alfredo.

5. Salvatore ritorna per

a. rivedere la madre.
b. dare l'ultimo saluto all'amico.
c. ripercorrere la sua infanzia.

2. (Traccia 16) Ascoltate il brano sui cinema multisala e completate le frasi con le parole mancanti.

1. Costruiti a pochi chilometri dalle grandi città, in prossimità o addirittura all'interno di _____, molto spesso propongono film di bassa qualità artistica.

2. Per tutti questi motivi, secondo alcuni i multisala, chiamati anche multiplex, _____ commerciale del consumismo.

3. La conseguenza più evidente è la _____ dei centri cittadini.

4. Si auspica dunque che l'obiettivo prossimo sia quello di creare un panorama d'offerta _____ .

Mimmo Rotella:
la frammentazione dell'immagine cinematografica

La sua carriera comincia a Roma negli anni Trenta, dove sperimenta nuove forme artistiche nel campo della fotografia creando fotomontaggi, décollages, assemblages di oggetti eterogenei. La sua geniale intuizione attira subito l'interesse della critica e dei collezionisti imponendosi sulla scena internazionale. I décollages di Rotella sono tuttora al centro dell'interesse della critica e del collezionismo più fine. I suoi ultimi quadri, presentati in mostre recenti, sono divenuti più formali, attenti a ritmi e colori essenziali, aggiornati sull'attualità (alla Biennale di Venezia 2001 esponeva un grande manifesto di donne afgane in burkha), oppure "omaggi" a grandi autori come De Chirico e Balla.

La dolce di vita di Marcello, *Mimmo Rotella*

• Il linguaggio innovativo dell'arte di Rotella sovrappone i manifesti cinematografici strappati dai muri.

• Le nuove immagini ottenute acquistano una forza visiva più intensa. Nel manifesto, infatti, colpisce la qualità cromatica che emerge dall'insieme scomposto dei pezzi di carta lacerati e nuovamente incollati gli uni sugli altri.

• L'utilizzo delle immagini delle star cinematografiche che assumono caratteri iconografici costituisce una prima forma di Pop-Art. Una diva del cinema presente nelle sue opere è proprio Marylin Monroe, la quale sarà immortalata anche da Andy Warhol in un celebre quadro.

• La frammentazione del personaggio-divo tende a svelare con ironia la finzione dell'industria cinematografica fondata sulla logica del consumo.

Alessandro Baricco: un universo di immagini surreali

Nato a Torino nel 1958, è uno dei narratori italiani contemporanei più importanti, ha collaborato come critico musicale per il quotidiano *La Repubblica* e come editorialista nelle pagine culturali de *La Stampa*. Nel 1993 ha condotto su Rai 3 *L'amore è un dardo*, trasmissione dedicata alla lirica. Nel 1994 è la volta di *Pickwick*: un programma che apriva le porte della letteratura al pubblico televisivo e in cui si discuteva di autori, generi e stili narrativi.

Dopo l'esperienza televisiva, Baricco ha fondato a Torino la scuola di scrittura creativa "Holden", in cui si imparano le tecniche narrative.

Tra le sue opere più celebri figurano: *Castelli di rabbia* (1991), *Oceano mare* (1993), *Seta* (1996), *City* (1999) e *Questa storia* (2005). Il suo stile letterario si distingue per la ricercatezza del linguaggio e per il surrealismo delle situazioni evocate. Da *Novecento* (1994), è stato tratto il film *La leggenda del pianista sull'oceano* di Giuseppe Tornatore.

Novecento

Monologo teatrale ambientato sul piroscafo "Virginian", che negli anni fra le due guerre attraversava l'Atlantico. Il protagonista è Novecento, un pianista straordinario che non è mai sceso dal transatlantico in cui era stato abbandonato. Malgrado non abbia mai avuto un maestro, il suo talento musicale non ha eguali. Nel brano che segue viene descritto il momento in cui Novecento suona il pianoforte per la prima volta davanti allo stupore dei presenti.

Due scene dal film di Tornatore con Tim Roth e Pruitt Taylor Vince

Salone da ballo della prima classe

Luci spente.

Gente in pigiama, in piedi, all'ingresso. Passeggeri usciti dalla cabina.

E poi marinai, tre tutti neri saliti dalla sala macchine, e anche Truman, il marconista.

Tutti in silenzio, a guardare.

Novecento.

Stava seduto sul seggiolino del pianoforte, con le gambe che penzolavano giù, non toccavano nemmeno per terra.

E,

com'è vero Iddio,

stava suonando.

(*Parte in audio una musica per pianoforte, abbastanza semplice, lenta, seducente*)

Suonava non so che diavolo di musica, ma piccola e... bella. Non c'era trucco, era proprio lui, a suonare, le sue mani, su quei tasti, Dio sa come. E bisognava sentire cosa gli veniva fuori. C'era una signora in vestaglia, rosa, e certe pinzette nei capelli... una piena di soldi, per capirsi, la moglie americana di un assicuratore... be', aveva dei lacrimoni così che le scendevano sulla crema da notte, guardava e piangeva, non la smetteva più. Quando si trovò il comandante di fianco, bollito dalla sorpresa, lui, letteralmente bollito, quando se lo trovò di fianco, tirò su col naso, la riccona dico, tirò su col naso e indicando il pianoforte gli chiese:

"Come si chiama?"

"Novecento."

"Non la canzone, il bambino."

"Novecento".

"Come la canzone?"

Era quel genere di conversazione che un comandante di marina non può sostenere più di quattro o cinque battute. Soprattutto quando ha appena scoperto che un bambino che credeva morto non solo era vivo ma, nel frattempo, aveva anche imparato a suonare il pianoforte. Piantò la riccona lì dov'era, con le sue lacrime e tutto il resto, e attraversò a passi decisi il salone: pantaloni di pigiama e giacca della divisa non abbottonata. Si fermò solo quando arrivò al pianoforte.

La vita in movimento

Muoversi, muoversi, muoversi. Correre, saltare, fare ginnastica. Fermi davanti allo schermo del computer in ufficio, imprigionati nelle macchine per non meno di un'ora al giorno, sprofondati nel divano di casa davanti alla tv, sempre più italiani riscoprono la voglia di movimento. Su consiglio dei medici o degli amici, per un eccesso di salutismo o per un insanabile narcisismo tutto nostrano, per piacere o per dovere tutti sono d'accordo: muoversi fa bene al corpo e alla mente. Lo sport sembra essere il nuovo chiodo fisso degli italiani. Allora tutti in palestra, in piscina o al parco più vicino a fare jogging. Una vera e propria mania dilaga tra giovani e meno giovani.

Ma che cosa succede? Siamo improvvisamente diventati tutti sportivi o semplicemente ci preoccupiamo di più del nostro aspetto fisico? Siamo colti dall'ansia di sembrare più in forma o da una reale voglia di sentirci meglio? Probabilmente entrambi i fattori stanno contribuendo a questa moda, non solo italiana, di praticare vecchi e nuovi sport. In tutte le città fioriscono le palestre e i centri per il benessere fisico. Di pari passo, aumenta l'offerta e accanto agli sport e alle discipline sportive tradizionali, ci sono oggi un'infinità di nuove attività che allettano il potenziale cliente: elleptycal, power plate, tapis roulant multisensoriale e tutta una serie di nomi incomprensibili, per non parlare del boom delle danze latino-americane e delle discipline come lo yoga o il thai chi che coniugano le esigenze del corpo con quelle della mente. Gli adepti di nuovi e vecchi sport sono dunque numerosissimi.

Certo è che l'attività fisica protegge da tante malattie, in particolare dalle patologie cardiovascolari. Un esempio? Secondo gli esperti bastano 30 minuti al giorno di esercizio per prevenire il rischio di infarto nelle persone con più di quarant'anni. Altro

esempio. Fare esercizio diminuisce l'ipertensione, aiuta a tenere in buona forma le ossa e le articolazioni e aumenta le difese immunitarie dell'organismo. E ci possono essere anche risvolti psicologici non trascurabili: pare che un'attività fisica costante favorisca il buon umore e aiuti a prevenire la depressione.

Praticamente il nostro corpo è come una macchina che ha bisogno di muoversi per funzionare meglio. E con l'età, il bisogno dell'organismo di muoversi, aumenta. Dicono i medici che per un quarantenne l'attività fisica è molto più importante che per un adolescente, dal momento che il metabolismo di un adulto impiega molto più tempo per eliminare le sostanze residue. Questo non significa che gli adulti devono sacrificarsi con esercizi estenuanti per essere in forma e non avere malanni d'ogni sorta. Per esempio, per quelli che di palestra e di fatica non ne vogliono sapere, bastano anche le normali attività quotidiane (pulire il pavimento, andare a fare la spesa o spolverare) a dare buoni risultati. Una passeggiata di circa venti minuti a passo sostenuto, per esempio, può essere un ottimo palliativo per chi è allergico alla palestra e allo sport in genere. L'importante è in ogni caso non cedere alla pigrizia e darsi una mossa. E allora pronti; partenza; via!

Completate lo schema	
20 anni	*Ventenne*
30 anni	....
40 anni	*Quarantenne*
50 anni	....
60 anni	....
70 anni	....
80 anni	....
90 anni	....

1. Lessico. Cercate nel testo le seguenti espressioni e trovate il significato più adatto.

1. Chiodo fisso (paragrafo 1)	a. una certezza; b. un pensiero costante; c. una verità.
2. Allettare (paragrafo 2)	a. attirare con prospettive seducenti; b. interessare; c. ingannare.
3. Adepto (paragrafo 2)	a. sostenitore di una teoria; b. appassionato; c. persona che segue una scuola o una filosofia.
4. Risvolto (paragrafo 3)	a. un fatto interessante; b. un aspetto non trascurabile; c. una parte di una cosa.
5. Essere in forma (paragrafo 4)	a. formare una buona squadra; b. avere una buona condizione fisica; c. avere una buona formazione professionale.
6. Palliativo (paragrafo 4)	a. rimedio provvisorio; b. medicina; c. soluzione.
7. Darsi una mossa (paragrafo 4)	a. prendere una decisione; b. muovere una parte del corpo; c. fare ginnastica.

2. Comprensione. Rispondete alle domande.

1. Quale nuova mania sta coinvolgendo gli italiani?
2. Dove si pratica lo sport?
3. Quali sono i motivi di questa nuova tendenza?
4. Quali sono gli effetti positivi dello sport?
5. I vantaggi di una attività fisica regolare sono gli stessi a tutte le età? Perché?
6. Cosa possono fare i pigri per mantenersi in forma?

3. Completate le frasi.

1. Gli italiani sembrano avere scoperto

2. Aumenta il numero di

3. Bastano 30 minuti al giorno

4. Fare costantemente attività fisica

4. Scrivete una lista di otto attività della vita quotidiana che vi possono aiutare a essere in forma senza andare in palestra.

1. lavare il pavimento	5. ....
2.	6. ....
3.	7. ....
4.	8. ....

5. Parliamone insieme.

1. Fate spesso ginnastica? A casa, in palestra o all'aperto?
2. Quanto tempo dedicate all'attività fisica ogni settimana?
3. Pensate veramente che lo sport faccia bene alla salute? In che modo?
4. Credete che le attività di tutti i giorni possano realmente aiutare la forma fisica?
5. Secondo voi lo sport è un modo per stare bene oppure un modo per sembrare più belli? Perché?
6. Prima dell'arrivo dell'estate vi precipitate in palestra per avere una forma perfetta? Perché?

Sentiamo cosa ne pensano i diretti interessati!

Alessia, 16 anni, studentessa liceale

Io gioco a tennis e a scuola sono nella squadra di pallavolo. In genere mi piacciono tutti gli sport tranne il calcio. Quello lo odio. Mio padre e mio fratello non fanno altro che parlare di calcio. Il sabato e la domenica poi alla tele non c'è altro che calcio, calcio e ancora calcio... che noia!!!

Sara, 56 anni, casalinga

Lo sport non mi è mai piaciuto molto. Sono sempre stata un po' pigra: dall'anno scorso però mio marito mi ha convinta a prendere lezioni di salsa insieme a lui. All'inizio non volevo. Ora invece mi diverto. Non è come fare ginnastica ma da quando ho iniziato mi sento più atletica.

Claudio, 38 anni, agente immobiliare

Io cerco di tenermi in forma andando in piscina due o tre volte a settimana. Nuotando mi rilasso. In acqua dimentico tutto. Il lunedì sera a volte gioco a calcetto con i colleghi d'ufficio. Per il resto non faccio altro. Prima giocavo a tennis, ora non gioco quasi mai.

Stefano, 25 anni, studente universitario

Io non pratico nessuno sport. Mi piace guardare il calcio ma non gioco da molti anni. In fondo sono un pantofolaio. Seguo sempre il Gran Premio in tv a qualunque ora del giorno e della notte ma di andare in palestra non se ne parla. Non fa per me.

1. Comprensione. Completate lo schema.

	Alessia	Stefano	Claudio	Sara
Gioca a tennis	x			
Va in piscina				
Fa un corso di danza				
Gioca a calcetto				
È pigro				
Guarda lo sport in tv				
Non ha mai amato lo sport				
Odia il calcio				
Giocava a tennis				
Non ha mai fatto sport				

 2. Parliamone insieme.

1. Trovate almeno un aggettivo per definire ognuno degli intervistati.
2. A chi di loro vi sentite più vicini? Esponete le vostre ragioni.
3. Fate un breve confronto tra i quattro.
4. E voi quale sport praticate? Con quale intensità? È sempre stato così?
5. In passato avete mai fatto sport? A che età avete cominciato? A che età avete smesso? Perché?

 3. (Traccia 17) Ascoltate il brano sulla crisi degli stadi e completate le frasi.

1. Nelle prime 4 gare di campionato, gli stadi hanno perso 200.000 tifosi _____

2. E d'altronde basta vedere le immagini televisive per rendersi conto _____

3. Al terzo posto degli ascolti c'è la _____, quindi Sky con una media tra le 20:30 e le 22:30, di 2.593.000 spettatori, quindi il 10,13% di share.

4. Allora a prima vista _____: non si va allo stadio perché si guarda il calcio in TV.

5. Perché questi sono sport che _____, cioè i dati ci dicono che la gente va a vedere il basket e va a vedere la pallavolo.

Il treno con i 700 tifosi del Pescara bloccato con il freno d'emergenza. Pioggia di denunce

Ultrà, ritorno drammatico
Scontri con la polizia, stazione devastata, feriti

4. Conoscete gli sport nelle foto in basso? Scrivete il nome di ognuno.

1. ....

2. ....

3. ....

4. ....

5. ....

6. ....

7. ....

8. ....

9. ....

10. ....

11. ....

12. ....

5. Completate la lista con altri sport che conoscete.

Pattinaggio artistico

....

....

....

....

....

....

....

Pallamano

....

....

....

Attenzione! **Si dice *praticare uno sport,*** ma anche *giocare a* per tutti quegli sport in cui c'è una palla. *Giocare a calcio, a tennis* ecc.

 1. Comprensione. Rispondete alle domande.

1. Cosa sono le Olimpiadi?
2. Quando e dove nacquero?
3. Perché furono sospese?
4. Quando ricominciarono le Olimpiadi e ad opera di chi?

2. Parliamone insieme.

1. Cosa pensate del motto: "l'importante non è vincere, è partecipare"? Discutetene in classe.
2. Osservate le immagini della pagina precedente. Cosa rappresentano? Cosa vi fanno venire in mente?
3. A casa, fate una ricerca via Internet su Pierre de Coubertin e poi esponete i risultati alla classe.

Olimpiadi e diversità

In tempi non lontani, il mondo delle competizioni sportive si è aperto alla partecipazione dei portatori di handicap. "L'invenzione" dei Giochi Paraolimpionici, meglio noti come Paraolimpiadi, ad opera del medico inglese Sir Ludwig Guttman, rappresentò l'inizio di una nuova era nella storia dello sport. Fu proprio il medico inglese che, nel 1948 a Londra, organizzò i primi Giochi internazionali su sedia a rotelle in coincidenza con i giochi olimpici che si svolgevano nella capitale britannica. La sua idea era quella di motivare e di incoraggiare le persone affet-

te da lesioni della spina dorsale, non di rado affette anche da forme depressive. Le gare dovevano servire a risvegliare lo spirito sportivo e con esso la voglia di vivere dei partecipanti per farne degli atleti.

A partire da quella data, le competizioni si svolsero con cadenza annuale mantenendo però un carattere nazionale, con la sola presenza di concorrenti inglesi. Poco a poco la manifestazione acquistò carattere ufficiale fino ad ottenere un vero riconoscimento internazionale in occasione delle Olimpiadi di Roma del 1960. La presenza di oltre 400 atleti in rappresentanza di 23 paesi, segnò l'inizio della storia ufficiale delle Paraolimpiadi. Da allora ogni 4 anni, in concomitanza con le Olimpiadi, si svolgono i Giochi Paraolimpici.

Manifestazione sportiva unica nel suo genere, oltre a rappresentare motivo di orgoglio per partecipanti e organizzatori, è la sola occasione di agonismo sportivo di alto livello per gli sportivi disabili.

Lo sport malato e la diffusione del doping

Da sempre l'agonismo e la voglia di vincere sono elementi determinanti nelle discipline sportive. Il sudore, la fatica, il sacrificio e i risultati, sono parte dello spirito sportivo e ne rappresentano il fascino e lo stimolo. Ma fino a che punto questo spirito di competizione è da considerarsi sano e positivo? La voglia di vincere può giustificare l'uso di sostanze proibite o comunque pericolose per la salute?

Ebbene, stando agli avvenimenti di cronaca sportiva, questo confine tra lecito e illecito tende a farsi sempre più sottile. Secondo i controlli più recenti fatti nelle federazioni sportive, in Italia il 3% degli atleti usa sostanze dopanti. E questi sono solo i dati ufficiali. Si stima che ci siano almeno altrettanti atleti che sfuggono alle statistiche.

Dalle indagini emergono dati vecchi e nuovi. Tra le novità risalta il fatto che, a differenza di quanto si possa credere, sono soprattutto gli atleti degli sport minori a fare uso di sostanze proibite. I casi di cronaca più clamorosi riguardano quasi sempre il calcio o il ciclismo, ma questa è solo la punta dell'iceberg. Nel triathlon, su quattro controlli effettuati due sono positivi (il 50%!!!), nella federazione italiana pesistica e cultura fisica il 25% dei controlli sono positivi e nello squash e nel tiro a volo la percentuale positiva arriva al 12,5%.

Altra novità che sfata molti luoghi comuni: il doping, lungi dall'essere un fenomeno del mondo professionistico, riguarda al contrario, soprattutto dilettanti e amatori. Il dato è decisamente allarmante perché rileva una tendenza a usare sostanze proibite proprio in quegli ambienti dove la pressione degli sponsor e dei media è minore. Insomma, contrariamente alle credenze dei più, il fenomeno non è dovuto al vorticoso giro di soldi che ruota intorno ad alcuni sport (il calcio in particolare) perché prende piede in ambienti dove i profitti sono bassi o addirittura nulli. La ricerca evidenzia dunque un preoccupante e continuo aumento nell'uso delle sostanze dopanti che si diffonde a macchia d'olio tra sportivi di ogni rango ed età.

Anabolizzanti, ormoni, emoderivati, cortisonici, creatina e nandrolone sono i nomi di alcune delle sostanze che vengono consigliate da sedicenti istruttori e apprendisti stregoni nelle palestre italiane. Tutti questi prodotti possono provocare gravi conseguenze epatiche, cerebrali, metaboliche, endocrine e persino tumorali.

Sull'onda dell'emozione creata dai media sul grande pubblico, numerosi sono ormai i controlli nei circuiti professionistici, rimane però il vastissimo mondo degli amatori e dei dilettanti che nessuno controlla e dove migliaia di sportivi assumono sostanze pericolose. Proprio da questi ambienti si dovrebbe partire per una campagna efficace di sensibilizzazione e di educazione contro l'uso di sostanze dopanti.

1. Comprensione. Vero o Falso?

	V	F
1. L'agonismo nello sport è la principale causa del doping.	☐	☐
2. Il doping è molto diffuso tra gli atleti italiani.	☐	☐
3. I professionisti sono la categoria più a rischio.	☐	☐
4. I culturisti sono tra gli sportivi che fanno più uso di sostanze dopanti.	☐	☐
5. La pressione degli sponsor e dei media favorisce il doping.	☐	☐
6. Gli interessi degli sport "ricchi" alimentano il fenomeno.	☐	☐
7. Il doping può avere gravi conseguenze sulla salute.	☐	☐
8. Il mondo dei dilettanti è ancora poco controllato.	☐	☐

2. Lessico. Cercate il significato delle espressioni della colonna a sinistra tra quelli elencati nella colonna a destra.

1. la punta dell'iceberg	☐ a. persona che determina una situazione incontrollabile
2. sfatare un luogo comune	☐ b. in maniera diffusa
3. apprendisti stregoni	☐ c. dimostrare la falsità di un credenza
4. a macchia d'olio	☐ d. la parte nota di un fatto

3. Comprensione. Rispondete alle domande.

1. Quali sono gli sport più toccati dal fenomeno?
2. Quali sportivi fanno più uso di anabolizzanti?
3. Il testo suggerisce delle soluzioni al problema? Quali?

4. Parliamone insieme.

1. Credete che le sostanze dopanti siano pericolose o che al contrario siano utili per migliorare le prestazioni atletiche? Perché? Discutete l'argomento con i compagni di classe.
2. Nel vostro Paese il problema esiste? Se ne parla? Quali sono gli sport più toccati?
3. Le Federazioni o i Ministeri competenti fanno dei controlli? I controlli riguardano anche i dilettanti o solo i professionisti?
4. Avete mai fatto uso di integratori alimentari? Se sì, lo avete fatto su consiglio di un medico o di vostra spontanea volontà? Vi siete mai preoccupati di leggere il contenuto di tali prodotti? Conoscete le eventuali controindicazioni?

5. Lavoro di gruppo. Il vostro gruppo sportivo vi invita a creare una commissione anti-doping. Scrivete una lista di misure per prevenire e combattere il fenomeno tra i giovani atleti della vostra città.

....
....
....
....
....
....
....
....
....
....
....

Lo sport si tinge di rosa. Le donne e lo sport

Fiona May, due volte campionessa del mondo nel salto in lungo (1995 e 2001)

1. Intervista alla dott.sa Sara Melli, incaricata dal Ministero per le Pari Opportunità di indagare le discriminazioni nel mondo dello sport. Le domande sono in ordine, le risposte no. Trovate l'ordine giusto.

Domande:
1. *Dottoressa Melli, entriamo subito nel vivo dell'argomento. Qual è oggi la condizione della donna nel mondo dello sport italiano?*
2. *Allora va tutto a gonfie vele?*
3. *A cosa si riferisce esattamente?*
4. *Eppure negli ultimi anni le nostre atlete stanno collezionando successi, nella scherma, nella pallavolo, nella pallanuoto.*
5. *Cosa rimane da fare per un trattamento più equo?*
6. *La ringrazio per la Sua disponibilità. ArrivederLa e buon lavoro.*

Risposte:
a. A questo pensavo quando dicevo che le cose vanno meglio. Nel 2000, ai Giochi Olimpici di Sidney, le azzurre hanno vinto un solo oro in meno rispetto agli uomini e questo nonostante fossero solo il trenta per cento dell'intera delegazione azzurra. Questi risultati sono incoraggianti ma c'è ancora molto lavoro da fare. Lo stesso anno a Sidney dei 116 tecnici presenti, solo 8 erano donne; tra i 50 medici e massaggiatori c'erano 7 donne e i 26 presidenti di federazione erano tutti uomini! Siamo ben lontani da una situazione paritaria!

b. C'è un problema di fondo. Sono ancora troppo poche le donne ai vertici delle istituzioni sportive. Dobbiamo intervenire sui regolamenti e sulle leggi. Ma non possiamo cambiare una situazione generale da un giorno all'altro. L'Unione Europea ci è venuta incontro con una risoluzione in cui ha invitato gli stati membri a garantire parità d'accesso alle donne allo statuto di atleta di alto livello. La stessa risoluzione ha sollecitato i mezzi di comunicazione a dare una copertura equilibrata dello sport maschile e femminile. Ognuno deve fare la sua parte.

c. La situazione sta migliorando. Sempre più donne si dedicano allo sport e in particolare le donne guadagnano terreno nelle discipline tradizionalmente maschili: nelle arti marziali, nel nuoto, nello sci e finanche nel calcio.

Carolina Kostner, campionessa di pattinaggio artistico

d. ArrivederLa e grazie.

e. Mi riferisco alla disparità nel trattamento economico o alle discriminazione nei contratti. Lei sa che se una nostra nazionale maschile vince un oro alle Olimpiadi, percepisce una ricompensa da due a tre volte superiore, a seconda della federazione, rispetto a quella che percepiscono le loro colleghe nella stessa condizione? In quanto ai contratti poi, una società di pallacanestro femminile può licenziare una sua tesserata perché in stato di gravidanza. E la stessa cosa capita alle pallavoliste. Insomma di discriminazioni ce ne sono ancora tante.

f. Non esageriamo. Ho detto che ci sono segnali di miglioramento. Questo non significa che le donne non siano discriminate. Una ragazza che si accinge ad entrare nel mondo del professionismo sportivo incontra una serie di ostacoli e di barriere del tutto sconosciuti agli uomini.

L'ordine esatto è: 1.___ 2.___ 3.___ 4.___ 5.___ 6.___

 4. Comprensione. Rispondete alle domande.

1. Chi sono i protagonisti della canzone?
2. Quali sono i punti in comune tra i due e quali le differenze?
3. Con quali termini l'autore evidenzia somiglianze e divergenze?
4. C'è un terzo personaggio nella canzone. Chi è? Qual è il suo ruolo?
5. Secondo voi quale tipo di atteggiamento ha l'autore nei confronti dell'uno e dell'altro?

Francesco De Gregori

Il percorso di un Giro d'Italia

 5. Parliamone insieme.

1. Il testo della canzone presenta due storie parallele. Cosa pensate dei due protagonisti? Come definireste l'uno e l'altro?

2. Credete che lo sport possa essere una via di fuga per giovani provenienti da contesti sociali sfavorevoli? Motivate la vostra risposta.

3. Conoscete le storia di qualche sportivo per cui lo sport ha rappresentato un'alternativa ad una realtà altrimenti molto difficile? Raccontate la storia che conoscete.

Un ragazzo di Calabria

(1987) di Luigi Comencini, con Diego Abatantuono, Gian Maria Volontè, Thérèse Liotard, Santo Polimero

Luigi Comencini

Mimì è un ragazzino calabrese di tredici anni che ha la passione per la corsa. Siamo negli anni '60 e questa sua passione lo mette in conflitto con il padre, interpretato da Diego Abatantuono, che si è sempre dedicato a lavorare la terra e che vorrebbe che il figlio studiasse per non dover fare il contadino tutta la vita come ha dovuto fare lui. Mimì però non vuole rinunciare e

corre di nascosto aiutato da Felice, l'autista del pulmino che tutti i giorni lo porta a scuola. Felice, zoppo dalla nascita, crede nel talento di Mimì e vede in lui un possibile campione. Anche sua madre crede nelle sue possibilità e lo aiuta a correre.

Il film riprende il tema dello sport come possibilità di riscatto: attraverso l'allenamento duro e il sacrificio il protagonista raggiunge il successo in campo sportivo. L'intreccio, basato su una storia reale, è ispirato alla vita del campione Francesco Panetta.

1. Scegliete l'opzione giusta tra quelle proposte.

1. Dopo aver vinto una gara a livello locale, Mimì può finalmente aspirare a partecipare a una *concorrenza / competizione / partita / marcia* nazionale.
2. L'ambiente in cui cresce Mimì non è *propenso / professionale / favorevole / comprensivo* alla sua crescita sportiva.
3. L'autista *intuisce / provoca / allena / corregge* il talento del protagonista.
4. Il padre del giovane *giocatore / atleta / corsista / allievo* è preoccupato per il futuro di suo figlio.
5. Mimì *immagina / desidera / pensa / sa* diventare un campione sportivo.
6. La *mente / mentalità / pensata / vista* del padre è piuttosto tradizionalista.
7. La storia *riprende / copia / ispira / avvolge* le vicende del campione Francesco Panetta.
8. Mimì è *sponsorizzato / spinto / assecondato / accolto* dalla madre.
9. Il film è *diretto / fabbricato / montato / scritto* con maestria dal regista Luigi Comencini.

Stefano Benni *(www.stefanobenni.it)*

Stefano Benni (1947) è scrittore, umorista e romanziere bolognese. Grazie ad una fervida fantasia descrive un mondo assurdo e comico, caricatura del mondo reale. Il suo tono ironico e divertito trasforma i vizi e i difetti della nostra società in particolari comici e grotteschi. Fra le sue pubblicazioni di maggior successo spiccano *Bar Sport* (1976), *Terra* (1983), *Il bar sotto il mare* (1987), *La compagnia dei celestini* (1992), *Bar Sport* 2000 (1997), *Saltatempo* (2001), *Achille piè veloce* (2003).

La pagina che segue fa un ritratto fedele e divertente della figura di critico sportivo da bar. È tratta da Bar Sport, un classico dell'umorismo italiano. Il brano è un esilarante schizzo di questo caratteristico personaggio.

Il tecnico

Il tecnico da bar, più comunemente chiamato "tennico" o anche "professore", è l'asse portante di ogni discussione da bar. Ne è l'anima, il sangue, l'ossigeno.

Si presenta al bar dieci minuti prima dell'orario d'apertura: è lui che aiuta il barista ad alzare la saracinesca. Il suo posto è in fondo al bancone, appoggiato con un gomito. [...]

Di cosa parla un tecnico? Di calcio, di sport in genere, di politica, di morale, di macchine, di agricoltura, di prezzi della frutta, di diabete, di sesso, di trattori, di cinema, di imbottigliamento, di spionaggio. In una parola, di tutto. Quale che sia l'argomento trattato, il tecnico lo conosce almeno dieci volte meglio dell'occasionale interlocutore, anzi, dirà, è una delle cose che lo ha interessato di più fin da piccolo. [...]

Il tecnico di calcio vive in simbiosi con un altro personaggio, che è "l'uomo con cappello". In tutti i capannelli, infatti, se osservate bene, mentre al centro si trova il tecnico, leggermente defilato alla periferia c'è un uomo con cappello calato sul naso e le braccia dietro la schiena. Questo secondo personaggio sembra avere il compito di intervenire con bestialità tremende che fanno perdere le staffe al tecnico. [...]

Tutti sanno che il momento più importante per un tecnico calcistico da bar è quando, il giorno prima di una partita della nazionale, egli deve dare la sua formazione. Il tecnico, a questo punto, raduna una ventina di persone e comincia: "In porta, sicuramente, ci metterei Zoff. Terzini, Rocca e Fedele". E spiega il perché della sua scelta: Zoff è una sicurezza. Rocca è meglio di Facchetti perché li ha visti tutti e due alla televisione e Rocca gli è sembrato più in palla. Infine Fedele l'ha visto allo stadio, e correva e fluidificava.

A questo punto l'uomo con cappello, interviene e dice: "Ma cosa dice. Se non stava in piedi". Allora il tecnico racconta, una per una, le ottanta azioni di Fedele della partita precedente. Molto spesso è preparato alla bisogna e ha con sé un quaderno di appunti. Poi cita a memoria le cronache dei quattro quotidiani sportivi. Ma ecco che l'uomo con cappello, spostatosi a destra, dice dal tetto di una macchina: "Fedele ha il menisco". Tutti allora si voltano allarmati verso il tecnico, per chiedere spiegazioni. Il tecnico li calma con un gesto della mano e passa in rassegna tutti gli ultimi quaranta casi di menisco del campionato italiano. Spiega brevemente in cosa consiste l'operazione; anzi, se qualcuno si presta, gli taglia un pezzo di pantalone e lo opera sul marciapiede con un temperino, mostrando agli astanti la funzione dei legamenti della rotula. Oppure estrae dalla macchina un modello anatomico di ginocchio umano e lo illustra. Quindi prosegue:

"Stopper Morini, libero Burnich, mediano sinistro Re Cecconi. Ala destra Mazzola, mezze ali Benetti e Rivera, ala sinistra Riva, centravanti Savoldi".

L'uomo col cappello appare da un tombino sulla sinistra e dice: "Savoldi? Siamo matti, Savoldi?".
"E perché?" gli viene chiesto.
"Perché ha i piedi piccoli."

Allora il tecnico diventa color tecnico adirato, che è una bella sfumatura di rosso usata anche per i tailleur. Poi comincia a urlare tutti i numeri di scarpe dei centravanti italiani dal 1947, come un invasato: "Meazza 40, Piola 41, Charles 42, Pivatelli 40, dicendo che il piede piccolo, a meno che non sia porcino, non è affatto un handicap.

L'uomo col cappello ribatte: "Sì, ma Savoldi ha il 39".
"E lei come lo sa?"
"Sono il suo calzolaio."

(Non è vero. Tutti gli uomini con cappello sono, oltre che incompetenti, malvagi e bugiardi.)

Allora il tecnico urla: "Lei è un tecnico di serie C", che in un bar è un'offesa quasi mortale, e l'uomo col cappello replica: "Sono quelli come lei che mandano in rovina la nazionale!" e in breve tempo si azzuffano. La gente li separa. Il tecnico si allontana con aria di superiorità. L'uomo col cappello, rimasto padrone del campo, dichiara che l'Italia non vincerà mai uno scudetto finché continua a tenere Pelé in porta. Viene preso, pestato, e mandato via col camion del rusco.

1. Lessico. Con l'aiuto del vocabolario, dite cosa significano le seguenti parole o espressioni:

1. asse portante	5. tombino	9. incompetenti
2. saracinesca	6. adirato	10. azzuffarsi
3. fluidificare	7. sfumatura	11. pestare
4. astanti	8. invasato	12. rusco

2. Lessico. Utilizzate i seguenti modi di dire inserendoli in un contesto adeguato:

1. Perdere le staffe ....

2. Essere / andare in palla ....

3. Passare in rassegna ....

3. Parliamone insieme.

1. Descrivete brevemente le caratteristiche di un tecnico.
2. Il testo propone la caricatura di un tipico personaggio italiano. Esistono personaggi simili nel vostro Paese? Di cosa discutono generalmente?
3. Di cosa si parla nei bar o nei luoghi di ritrovo del vostro Paese? Con che tono se ne parla? Perché?
4. Quale è lo sport che suscita i dibattiti più accesi tra i vostri connazionali? Perché?
5. Ci sono altri argomenti capaci di scaldare tanto gli animi? Quali? Perché?

Paese di Santi, poeti e... allenatori

Gli italiani sono notoriamente un popolo di chiacchieroni. Se poi si tratta di sport, e in particolare di calcio, allora tutti diventano ancora più loquaci. Nelle pagine dei giornali e nelle trasmissioni televisive abbondano i giudizi tecnici sulle partite dei club o sull'ultimo Gran Premio. Se entrando in un bar di qualsiasi città vedrete un capannello di persone che discutono animatamente, non stupitevi quando scoprirete che stanno solo commentando l'ultima partita della squadra del cuore. Un popolare detto recita: "In Italia ci sono 56 milioni di allenatori", ironizzando su questa vocazione tipicamente italica alla chiacchiera sportiva ad ogni costo e in ogni caso.

Il calcio è lo sport di cui gli italiani parlano per ore

4. Avete mai partecipato ad una animata discussione su temi sportivi? Raccontate la scenetta usando il discorso diretto.

....

....

....

....

....

....

Umberto Boccioni

Umberto Boccioni

Nonostante la sua prematura scomparsa, Umberto Boccioni (Reggio Calabria 1882 - Verona 1916) è una delle personalità più rilevanti del futurismo italiano. Inizia a dipingere con una tecnica divisionista che consiste nell'uso di piccoli tocchi di colore puro sulla tela.

Nel 1909, in seguito alla pubblicazione del *Manifesto del Futurismo*, da parte di Marinetti, Boccioni decide, insieme a Russolo, Balla, Carrà e Severini, di incontrare quello che diventerà il leader del gruppo. Questo incontro segna una svolta nella sua traiettoria artistica. Nasce così l'interesse per il movimento e la sua resa pittorica.

Autoritratto di Umberto Boccioni

• Le forme, i colori e le geometrie, riproducono il movimento, il "dinamismo" dell'atleta nell'impeto dell'azione sportiva.

• La figura umana tende a sparire per lasciare spazio a colori e forme.

• I futuristi, così come i cubisti (Picasso e Braque) procedono a una scomposizione delle figure per concentrarsi sulle geometrie.

Dinamismo di un ciclista 1913, olio su tela, Collez. Gianni Mattioli

Nel 1910 firma, insieme ad altri, il *Manifesto dei pittori futuristi* e il *Manifesto tecnico della pittura futurista*.

Affascinati dal progresso tecnologico, i futuristi focalizzano molta della loro ricerca sul movimento e sulla dinamica.

Con un atteggiamento apertamente aggressivo, tipico di altre avanguardie europee, esaltano la bellezza delle macchine, assunte a emblema della modernità.

Il movimento diventa energia distruttrice ma anche creativa di un nuovo mondo e di una nuova arte.

Dinamismo di un footballer, 1913, olio su tela, Museum of Modern Art, New York

l'idea d'Italia non è sempre vera.

Costume e società

"Italiani brava gente: spaghetti, mandolino e pizza". Fatichiamo a scrollarci di dosso questo vecchio cliché nel quale non ci riconosciamo più. L'immagine di un paese di bonaccioni e di dongiovanni, predominante all'estero, non sempre corrisponde al paese che noi conosciamo e viviamo. Indubbiamente alcuni di questi tratti trovano ancora un riscontro, ma sono molti gli elementi nuovi che hanno cambiato le abitudini, gli usi e la fisionomia del popolo italico.

Da un punto di vista economico l'Italia è, fin dagli anni '60, un paese fortemente industrializzato e, nonostante la sue dimensioni geografiche e la scarsezza di materie prime, figura tra i grandi del pianeta. Per questa ragione, da terra di emigranti e viaggiatori è diventato un paese che ospita numerosi lavoratori stranieri. Su più di 59 milioni di abitanti oggi, si contano oltre tre milioni di immigrati. Questa presenza, risponde a un'esigenza del sistema produttivo, ma viene anche a colmare un forte calo demografico. Gli italiani, infatti, dopo aver avuto per anni dei tassi di natalità molto alti, sono oggi agli ultimi posti in Europa e nel mondo per numero di bambini nati. La popolazione invecchia e la crescita demografica è molto vicina allo zero. Vacilla dunque un altro dei miti

L'Auditorium di Roma, realizzato da Renzo Piano

italiani: la famiglia. I giovani si sposano tardi e sono poche le coppie che hanno più di due figli.

Del resto, gli adolescenti di oggi sono molto diversi da quelli di ieri. Vivono in un benessere che spesso i loro genitori non hanno conosciuto e seguono mode e tendenze tipiche delle società consumistiche. Il matrimonio non è prioritario nella loro scala di valori. L'ingresso nel mondo del lavoro avviene spesso tra i venticinque e i trenta anni, con modalità d'assunzione molto più flessibili che in passato. Tradotto in altri termini: addio a quel posto fisso, tanto caro alle generazioni dei papà e dei nonni.

Contemporaneamente, si alza l'età pensionabile per dare ossigeno ad una previdenza pubblica a corto di fondi per via del crescente numero di anziani non più in età produttiva a carico del sistema previdenziale.

Insomma, siamo ancora un popolo di romantici, amanti della buona cucina e della dolce vita, ma la società italiana ha subìto profonde trasformazioni. Fino a che punto questi cambiamenti abbiano modificato l'immagine dell'italiano all'estero rimane da dimostrare. Non c'è alcun dubbio però che il contesto in cui questa immagine si è formata sia decisamente diverso da quello odierno.

1. Comprensione. Vero o Falso?

	V	F
1. L'articolo parla delle differenze tra giovani e anziani in Italia.		X
2. L'Italia è un paese industrializzato perché possiede materie prime.		X
3. Negli ultimi anni è aumentato il numero di immigrati stranieri.	X	
4. La popolazione italiana cresce pochissimo.	X	
5. Le coppie che si sposano giovani sono poche.		X
6. Molti giovani italiani seguono i miti del consumismo.		X
7. Il mercato del lavoro oggi è meno flessibile.		X
8. Si va in pensione più tardi rispetto al passato.	X	
9. Il numero degli anziani è aumentato negli ultimi anni.		X
10. L'immagine degli italiani risente dei cambiamenti della società.	X	

2. Lessico. Trovate il significato più adatto per le parole o espressioni della colonna a sinistra.

1. scrollarsi	3 ☒	a. Persona calma, dal carattere mansueto.
2. cliché	7 ☐	b. Somministrare nuove energie.
3. bonaccione	5 ☒	c. Corrispondenza di due elementi.
4. dongiovanni	1 ☒	d. Muovere le spalle con forza per liberarsi da qualcosa.
5. riscontro	4 ☒	e. Si dice di un corteggiatore audace e sfacciato.
6. vacillare	2 ☒	f. Ragionamento o espressione che si ripete di frequente.
7. dare ossigeno	6 ☒	g. Oscillare per la perdita di equilibrio e di stabilità.

3. (Traccia 21) Ascoltate l'intervista a una casalinga che parla della sua famiglia e rispondete alle domande.

7 figli

	Vero	Falso	Non si sa
1. La Signora Debora ha avuto il primo figlio a 20 anni.	☒	☐	☐
2. La seconda figlia ha cinque anni. ʋⁿ	☐	☒	☐
3. La Signora Debora ha sempre desiderato avere tanti figli.	☒	☐	☐
4. La famiglia numerosa aiuta i bambini a socializzare.	☐	☐	☒
5. La suocera della signora ha avuto 3 figli.	☒	☐	☐
6. Il figlio più grande è sposato.	☐	☐	☐
7. I figli della signora pensano di avere molti figli.	☒	☐	☐

4. Parliamone insieme.

1. Prima della lettura del testo, che idea avevate degli italiani e della società italiana in generale? Elencate e descrivete gli stereotipi che conoscete sugli italiani.
2. Cosa pensate degli italiani dopo questa lettura?
3. Esiste nel vostro Paese una comunità italiana? In che misura corrisponde all'immagine comune dell'italiano?
4. Quali sono gli stereotipi che si associano all'immagine del vostro Paese e dei vostri connazionali? Cosa pensate degli stereotipi in generale?
5. Il vostro Paese ha subito simili trasformazioni che hanno inciso sul tessuto sociale?

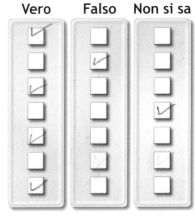

5. Fate una ricerca su Internet sulla storia recente del vostro Paese e scrivete un testo in cui mettete in evidenza gli ultimi cambiamenti più significativi. Scrivete almeno 250 parole.

....

....

....

....

....

....

....

....

L'Italia che cambia

Immigrati regolari raddoppiati in quattro anni. Ancora moltissimi gli irregolari.

La presenza degli stranieri in Italia è in costante aumento. Negli ultimi anni sono raddoppiati raggiungendo quota 3 milioni e settecentomila, con un aumento medio di 150mila unità l'anno. Il Ministero degli Interni registra più 500 mila minori, che aumentano al ritmo di 65 mila l'anno (35.000 nuovi nati e 30.000 nuovi ingressi).

Gli immigrati rappresentano oggi il 6,2% della popolazione complessiva: il 60% risiede al Nord (la Lombardia con 730.000 è la regione che ne conta di più), il 30% al Centro (soprattutto nel Lazio con 330.000 presenze) e il resto nel Meridione (la prima regione è la Campania con 145.000). I due terzi sono venuti in Italia per lavoro e circa un quarto per motivi di famiglia, mostrando una forte tendenza all'inserimento stabile.

Se continuerà questa tendenza, fra dieci anni la popolazione immigrata sarà nuovamente raddoppiata. Non esistono statistiche attendibili sugli irregolari, ma il fenomeno è in aumento: tutti gli anni, so-

prattutto durante la bella stagione, gli sbarchi di imbarcazioni cariche di immigrati senza documenti sono all'ordine del giorno.

Questi dati si incrociano curiosamente con il bassissimo tasso di natalità che si registra già da diversi anni. L'Italia infatti indossa, con la Germania, la maglia nera in Europa per numero di bambini nati, con una media di 1,2 bambini per donna. Insomma si fanno pochi bambini e a farli sono sempre più spesso coppie straniere. A questo punto è lecito chiedersi di che colore saranno gli italiani del 2050?

Immigrazione e sistema produttivo

Gli stranieri rappresentano oggi un sostegno imprescindibile per il sistema produttivo nazionale. Un'assunzione ogni 5 è di un extracomunitario (era 1 ogni 8 nel 2006). Il numero più consistente delle assunzioni è concentrato nel nord e riguarda soprattutto il lavoro domestico, l'edilizia, gli alberghi, la ristorazione e infine l'agricoltura.

Una nota stonata: gli infortuni sul lavoro

Nell'ultimo anno sono stati denunciati più di 100.000 infortuni da parte di cittadini stranieri, di cui 129 mortali. Per i lavoratori immigrati si verifica un infortunio ogni 15 occupati, mentre per gli italiani 1 ogni 25.

Immigrati imprenditori

Oggi si contano circa 75.000 immigrati titolari d'impresa, con un aumento del 25%. In media, un'impresa ogni 50 (con picchi di una ogni otto a Prato) appartiene ad un imprenditore straniero.

CORRIERE DELLA SERA

MAGAZINE

INCHIESTA
ACQUA MINERALE
O DEL RUBINETTO?
DUE ITALIE
A CONFRONTO

REPORTAGE
FRANCIA, TORNA
L'INCUBO
DELLA BANLIEUE

INTERVISTA
HOSSEINI
"IO, CACCIATORE
DI AQUILONI"

INTERROGATIVI
MA CHARLIZE
THERON
È DAVVERO
LA PIÙ SEXY?

LE SECONDE
GENERAZIONI
COSA FANNO
COSA PENSANO
QUANTO
SUCCESSO
AVRANNO

I nuovi italiani

 1. Comprensione. Scegliete l'opzione corretta tra quelle a disposizione.

1. Gli stranieri in Italia

a. sono raddoppiati in dieci anni.
b. sono aumentati di 150.000 l'anno.
c. sono triplicati.

2. Si prevede

a. un aumento del loro numero entro quattro anni.
b. un raddoppio entro quattro anni.
c. un raddoppio entro dieci anni.

3. La regione che conta più immigrati al Sud è

a. la Sicilia.
b. il Lazio.
c. la Campania.

4. La ragione principale della loro presenza è

a. il ricongiungimento familiare.
b. la ricerca di un'occupazione.
c. lo studio.

5. Gli immigrati irregolari

a. sono molti.
b. arrivano soprattutto via mare.
c. non si sa quanti siano.

6. Gli infortuni sul lavoro

a. colpiscono più gli stranieri che gli italiani.
b. riguardano solo gli stranieri.
c. colpiscono un lavoratore straniero ogni 25.

7. In Italia

a. le coppie hanno solo un figlio.
b. le coppie straniere sono più disposte ad avere bambini.
c. i bambini nascono solo da coppie di stranieri.

2. Lessico. Spiegate il significato delle seguenti parole e poi cercate i rispettivi contrari.

Raddoppiato = ...

Immigrato = ...

Ingresso = ...

Aumento = ...

Integrazione = ...

3. Parliamone insieme.

1. Come giudicate il fenomeno dell'immigrazione: una risorsa o un problema? Un'opportunità o una fonte di tensioni sociali e razziali?
2. Cosa potete dedurre dal fatto che gli immigrati si infortunano di più sul lavoro rispetto ai loro colleghi italiani? Giustificate la vostra risposta.
3. Cosa possiamo dire dei dati sull'imprenditorialità? Pensate che gli stranieri abbiano un ruolo importante nell'imprenditoria come in altri settori? Le loro imprese rappresentano una ricchezza o una minaccia per l'economia locale? Perché?
4. Esiste nel vostro Paese un fenomeno simile? Che caratteristiche ha? Fate un confronto con i fenomeni migratori in Italia, tenendo presente che l'Italia è stato in passato un paese di emigranti e che esistono ancora numerosissime comunità italiane in tutto il mondo.

Mosaico culturale

Gli immigrati più numerosi sono quelli europei (1.450.000) con una netta prevalenza degli albanesi e dei rumeni. Segue l'Africa (730.000) con la comunità marocchina che da sola rappresenta quasi la metà degli immigrati di questo continente. Esistono comunque folte comunità tunisine e senegalesi. Gli asiatici residenti (620.000) sono in prevalenza cinesi o filippini. Infine l'America Latina è rappresentata soprattutto da peruviani, brasiliani ed ecuadoriani.

L'immigrazione in Italia è oggetto di molti studi e analisi statistiche

Posto fisso addio: flessibilità, part-time e lavoro interinale

Programmatore

Società leader nel settore informatico cerca programmatore con almeno due anni di esperienza, con laurea tecnica (ingegneria informatica, scienze statistiche, economia aziendale). Zona lavoro Bologna Nord.
Inviare curriculum a: soluzioniglobali@virgilio.it Candidati ambosessi.

Agenzia di lavoro interinale METIS, filiale di Firenze offre le seguenti possibilità di impiego:
- Saldatore, anche prima esperienza. Durata tre mesi. Zona Prato.
- Data Entry: impiegato a tempo determinato 3-6 mesi. Firenze città.
- Magazziniere addetto all'imballaggio. Necessaria esperienza. Disponibilità agli straordinari. Durata contratto quattro mesi. Possibilità inserimento stabile. Firenze centro.
- Addetti call-center per servizio clienti. Servizio anche sabato e domenica. Contratto 3 mesi. Zona industriale Osmannoro.

Varie

Società di telemarketing cerca operatori telefonici con spiccata predisposizione nel settore vendite. Contratto part-time. Orario 15-19. Ambosessi. Inviare curriculum a telemark@tiscali.it o telefonare allo 081 425638962 dalle 14 alle 20.

Agenzia di assicurazioni cerca impiegato/a con esperienza R.C. Auto e R.E. Inviare curriculum al fax 081 41928961 all'attenzione del Rag. Baroli.

Agenzia di assicurazioni cerca impiegato/a con esperienza R.C. Auto. Curriculum, lettera motivazione e referenze a assifond@tin.it, con oggetto ricerca addetto R. C. Auto.

Segretaria

Società leader nel commercio di prodotti per l'elettronica ricerca una segretaria di direzione diplomata o laureata età 25-30 anni per: organizzazione appuntamenti, gestione agenda, organizzazione riunioni, ricezione e gestione documentazione proveniente da diversi settori dell'azienda con report quotidiano all'amministratore delegato. Completano il profilo: flessibilità, capacità di problem solving, predisposizione alle relazioni interpersonali, alta motivazione. Candidature con curriculum e lettera di motivazione a sabello_elettronic@supereva.it

Fisioterapisti

Riferimento Fisio/136
Tipo contratto: tempo determinato, sei mesi rinnovabili
Luogo di lavoro: Bari
Studi: diploma fisioterapista
Esperienza: almeno un anno
Altre informazioni: Fisioterapisti con esperienza nel settore per inserimento anche duraturo in centro di riabilitazione in espansione
Agenzia di lavoro interinale ALI, Viale Garibaldi 137, Bari. Tel. 080 78562136

Operatori Call Center

Riferimento Call/212
Tipo contratto: tempo det., tre mesi rinnovabili.
Luogo di lavoro: Roma Nord.
Studi: diploma preferibilmente tecnico.
Esperienza: non necessaria.
Altre informazioni: Operatori Call Center per assistenza tecnica, disponibili ai turni dalle 8 alle 24, lunedì-domenica full time o part-time.
Preferibilmente 20-35 anni. Inviare curriculum a topqualityservice@libero.it o telefonare allo 06 368952314 per colloquio.

1. Dopo avere letto le offerte di lavoro, scrivete due annunci simili negli appositi spazi.

....

....

....

....

....

....

....

....

....

....

....

....

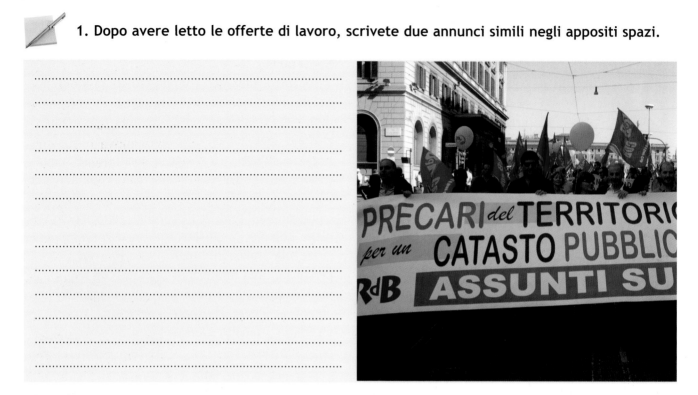

2. Scrivete una e-mail in risposta ad uno degli annunci della pagina precedente in cui esprimete:

- *il vostro interesse per il lavoro;*
- *le ragioni per cui il vostro profilo è adeguato alla specifica mansione;*
- *le esperienze precedenti nello stesso campo.*
- *Infine allegate una copia del vostro curriculum.*

Egregi Signori/Spettabile Ditta,

Coppie in crisi: un segno dei tempi?

La crisi di coppia è un disagio sempre più presente nella nostra società.

Inquietudine e ansia sono i malesseri che accompagnano questo momento pieno di rischi e difficoltà che molte volte si conclude con la rottura definitiva della relazione sentimentale.

Quali sono le cause che provocano una crisi di coppia che può portare ad una separazione o ad un divorzio? Sicuramente un conflitto, palese o latente, può generare sentimenti di repulsione e rancore nei confronti del partner, specie se tale conflitto non viene affrontato adeguatamente dai due, ma viene continuamente negato o combattuto senza arrivare a una definitiva soluzione.

Inoltre, la vita di coppia si è modificata con il trascorrere del tempo, e questo ha portato a mettere in discussione il concetto stesso di indissolubilità del rapporto: se fino a quarant'anni fa si dava per scontato che un rapporto di coppia sancito dal matrimonio dovesse durare in eterno, i grandi cambiamenti sociali degli ultimi decenni hanno fatto sì che questa prospettiva venisse meno. L'instabilità matrimoniale ha ragioni sociali ma anche psicologiche: secondo alcuni esperti del settore, la causa principale sarebbe il diffondersi di una nuova concezione dell'istituzione matrimoniale che prediligerebbe una dimensione di carattere prettamente romantico.

Secondo questo punto di vista, il matrimonio è il raggiungimento di una situazione ideale in cui entrambi i coniugi aspirano alla massima felicità sentimentale. In questa prospettiva hanno minor peso i valori del sacrificio e della comprensione reciproca, e questo proprio perché l'amore nella sua versione più moderna implica un'esperienza sentimentale libera da qualsiasi condizionamento. Di conseguenza, quando il rapporto di coppia entra in una crisi irreversibile, per la mancanza di fiducia reciproca o perché la passione ha perduto il suo slancio iniziale, la separazione non solo è un'opzione possibile, ma addirittura opportuna.

Secondo gli ultimi dati statistici dell'Istat, in Italia le separazioni e i divorzi sono aumentati del **4,9%** negli ultimi cinque anni. Questa cifra risulta tuttavia inferiore alla media europea. Infatti per l'Italia il tasso di divorzio è dello **0,7%** mentre in altri paesi con una popolazione nettamente inferiore come il Belgio la percentuale arriva al **2,9%**.

Probabili cause che conducono al fallimento di un matrimonio

- Frustrazione delle aspirazioni professionali coltivate in gioventù.
- Scoperta dei difetti del proprio partner di cui non ci si era mai accorti.
- Nascita di nuovi bisogni e desideri per i quali il rapporto di coppia risulta sempre più limitante e oppressivo.
- Insoddisfazione sessuale dovuta ai rapporti poco frequenti o troppo abitudinari.

Tuttavia c'è chi sostiene che da una crisi, anche la più drammatica, possa scaturire una svolta in senso positivo, nel senso che, se affrontata in maniera razionale da parte di entrambi, può condurre alla riscoperta dell'amore, questa volta da vivere con una sincera volontà di comprendersi e accettarsi.

1. Comprensione. Scegliete l'opzione corretta tra quelle a disposizione.

1. La crisi di coppia

a. è un fenomeno che sta aumentando in seno alla società italiana.
b. è un fenomeno che non comporta nessun rischio o difficoltà.
c. è un fenomeno in forte diminuzione.

2. Secondo l'Istat

a. i divorzi in Italia sono diminuiti del 4,9%.
b. i divorzi aumenteranno del 4,9% nei prossimi cinque anni.
c. in Italia negli ultimi cinque anni l'aumento dei divorzi è stato del 4,9%.

3. Un conflitto interno alla coppia

a. può provocare tensioni al lavoro.
b. può produrre repulsione nei confronti del proprio partner.
c. non è la causa di una separazione o di un divorzio.

4. Un conflitto di coppia

a. può solo determinare una separazione.
b. non può che determinare un divorzio.
c. se affrontato adeguatamente, può essere risolto e superato.

5. Una relazione di coppia si può salvare

a. riuscendo a negare il conflitto.
b. combattendo il conflitto.
c. con una sincera volontà di comprendere le ragioni del conflitto.

2. Parliamone insieme.

1. Nel vostro Paese è molto diffusa la pratica del divorzio? Negli ultimi anni il ricorso a questa pratica è aumentata o diminuita? Quali sono secondo voi le cause che lo determinano?

2. Secondo voi, nel rapporto di coppia, è possibile superare un momento di crisi per poi raggiungere una dimensione migliore, caratterizzata da una maggiore volontà di comprendersi? Giustificate la vostra risposta creando un dibattito in classe.

3. Secondo voi, il matrimonio è ancora una tappa obbligatoria nella vita di una persona? Cosa pensate delle coppie di fatto, cioè non sposate?

4. Quali sono, secondo voi, le questioni da considerare attentamente prima di prendere la definitiva decisione di sposarsi?

Sballo: ecco le nuove frontiere

Intervista al Dott. Stefano Covello, responsabile di una comunità terapeutica.

• *Dottor Covello, il fenomeno droga ha assunto caratteristiche nuove negli ultimi anni. Ci può aiutare a capire i termini del problema?*

⇒ Innanzitutto oggi esiste una grande varietà di droghe: cocaina, ecstasy, popper, anfetamine e poi ci sono i cocktail caserecci, preparati dai consumatori stessi mescolando varie sostanze. Negli anni '80 c'era un unico grande spettro e si chiamava eroina. I tossicomani erano molto spesso degli emarginati o comunque degli sbandati, giovani che provenivano da contesti familiari difficili o che rompevano quasi subito i rapporti con la famiglia...

• *I tossicodipendenti attuali invece come sono?*

⇒ In realtà i tossicodipendenti in senso classico sono diminuiti molto. Oggi siamo di fronte a un numero crescente di ragazzi "normali", spesso ben integrati, che solo occasionalmente consumano droghe. Si tratta anche di persone con una famiglia e un'occupazione che nei fine settimana vanno fuori di testa per 24-48 ore. Il lunedì tornano ad essere i bravi ragazzi della porta accanto.
Il nuovo consumatore è ben informato sulla natura delle sostanze e sui principi attivi, al punto di essere capace di prepararne alcune. Il "poliassuntore", così lo chiamiamo in gergo, ha un'età tra i 16 e i 26 anni e passa con grande facilità dallo spinello all'ecstasy, alla cocaina, e anche all'eroina. E su tutto, alcool in grandi quantità. Alla lunga questi comportamenti portano a squilibri mentali che possono diventare psicosi, anche quando non si sviluppa una vera e propria tossicodipendenza.

• *Che dimensioni ha il fenomeno?*

⇒ Noi operatori che abbiamo il polso della situazione sappiamo che è un fenomeno pre-occupante per le dimensioni e per le ricadute sociali. Esiste però una generale sottovalutazione del problema. Per esempio, la cocaina continua ad essere considerata una sostanza innocua, quasi positiva. Lo stesso atteggiamento che molti giovanissimi hanno nei confronti dell'ecstasy. La verità è che entrambe sono sostanze pericolosissime il cui uso, anche occasionale, può provocare danni permanenti, se non letali. Manca informazione nelle scuole, nelle università e anche negli ospedali.

• *Come affrontate voi il problema?*

⇒ Le strutture sanitarie sono raramente preparate a questo scenario e non sono attrezzate per le nuove droghe. Difficilmente il centro di recupero accoglie il cocainomane o il poliassuntore, soprattutto se è adulto e ben integrato e non esce allo scoperto, perché fatica a riconoscersi come tossicodipendente. Noi abbiamo messo in piedi da qualche anno progetti specifici per questi nuovi soggetti e lavoriamo con psicologi e psichiatri perché i nostri ospiti presentano forti turbamenti della personalità.

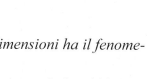

1. Comprensione. Completate le affermazioni.

1. Il consumo di droga

a. è aumentato.
b. è diminuito.
c. ha cambiato caratteristiche.

2. Nel contesto attuale ci sono

a. più tossicodipendenti.
b. più tipi di droga a disposizione.
c. meno consumatori.

3. I nuovi consumatori sono

a. degli emarginati.
b. delle persone normali.
c. giovani con problemi familiari.

4. Il poliassuntore

a. consuma vari tipi di droghe.
b. consuma soprattutto cocaina ed ecstasy.
c. si inietta anche l'eroina.

5. Le strutture sanitarie

a. affrontano con difficoltà questo scenario.
b. non sono attrezzate per questa situazione.
c. hanno messo a punto programmi specifici di recupero.

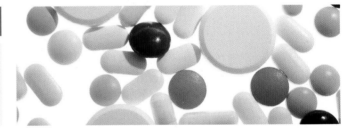

2. Parliamone insieme.

1. Quali sono, secondo voi, le cause della diffusione delle droghe, specialmente tra i più giovani?
2. Esiste un problema legato al consumo di droghe nel vostro Paese? Che caratteristiche ha?
3. Come pensate che si possa affrontare il problema: con la mano dura o con la tolleranza?
4. La legalizzazione di alcune sostanze potrebbe essere una soluzione?
5. Quali possibili soluzioni proponete per questo problema?

3. Scegliete l'opzione giusta tra quelle proposte.

1. Una organizzazione dedita al traffico *di/da/con* stupefacenti, è stata sgominata *per la/della/dalla* polizia.
2. I Carabinieri hanno intercettato un carico di droga proveniente *della/dalla/attraverso la* Colombia.
3. Questa pianta allucinogena è originaria *dal/del/nel* sud-est asiatico.
4. Queste sono cose *per/da/a* non fare in nessun caso.
5. Dovreste smettere *con/a/di* fumare perché vi fa male.
6. Se quel ragazzo continua *da/con/a* fare uso di droghe, finirà male.
7. Sono molti i giovanissimi che fanno uso *di/da/a* droghe in Europa.

4. (Traccia 22) **Ascoltate il brano relativo al mondo delle discoteche in Italia e indicate l'opzione corretta fra le 4 proposte.**

1. La notte per molti giovani è

a. un momento di riposo dopo la discoteca.
b. un'occasione per liberare le proprie pulsioni.
c. un raduno collettivo in continua evoluzione.
d. un momento di socializzazione.

2. Le persone che frequentano la discoteca sono

a. decine di milioni in un anno su duemila discoteche presenti in Italia.
b. decine di milioni i fine settimana su duemila discoteche.
c. decine di milioni in un anno su mille discoteche.
d. decine di milioni con un fatturato di mille milioni di euro ogni fine settimana.

3. All'interno di una discoteca

a. i ritmi e le melodie sono molto ripetitivi;
b. i ritmi musicali più variegati sono soprattutto nelle discoteche del nord;
c. i ritmi musicali sono il simbolo della trasgressione;
d. i ritmi e le melodie creano un'atmosfera di divertimento collettivo.

4. I gestori delle discoteche pensano che

a. gli incidenti stradali siano dovuti agli attuali orari di chiusura;
b. sia giusto anticipare alle due la chiusura delle discoteche;
c. non sia auspicabile la chiusura anticipata della discoteca;
d. la causa degli incidenti sia la musica a tutto volume.

5. Per la sicurezza all'interno dei locali

a. si sono creati nuovi sistemi antincendio;
b. i buttafuori sono pagati meglio;
c. può avervi accesso solo un determinato numero di persone;
d. non si vendono più superalcolici.

6. Nella loro versione odierna le discoteche

a. cercano di accontentare le persone che vogliono conversare;
b. organizzano spettacoli di cabaret in pista;
c. non servono più alcolici eccetto il vino;
d. offrono la possibilità di cenare.

Quando il corpo comunica: tatuaggi e piercing

Fin dai tempi più remoti l'uomo ha impresso sul suo corpo trasformazioni più o meno evidenti per esprimere una credenza religiosa o per comunicare il segno di appartenenza a un gruppo etnico. Tatuaggi, perforazioni o altri interventi per modificare in maniera permanente alcuni tratti fisici hanno avuto, e hanno tuttora, la funzione di caratterizzare l'individuo, di distinguerlo dagli altri. Tatuarsi non significa solo dipingersi la pelle; la carica simbolica presente nel disegno trasmette qualcosa di più trascendente rispetto a ciò che il nostro occhio riesce a percepire.

In questo senso, il tatuaggio possiede un aspetto decisamente culturale in quanto trasmette una gamma di concetti assoluti che si legano in modo inscindibile con il corpo. Il risultato è un indelebile segno di riconoscimento che sancisce costantemente la diversità del singolo nei confronti della massa.

Un'arte ribelle

La pratica del tatuaggio, considerata ormai una vera e propria arte, per molto tempo è stata confinata nel contesto di determinate categorie sociali. All'interno del mondo giovanile legato alla controcultura degli anni Sessanta e Settanta, come quella degli hippy o dei punk, questo atto espressivo poteva servire per manifestare la ribellione contro il sistema.

Negli ultimi anni il tatuaggio è diventato di moda, ha perso un po' il significato originale per convertirsi in un semplice elemento estetico e decorativo. Esistono diversi tipi di tatuaggi: quello etnico, quello religioso, quello d'amore e... quello "da galera", che con i suoi simboli indica esplicitamente che la persona è stata "al fresco".

Anche per il piercing (dall'inglese "forare") esiste una profonda filosofia che fa da sfondo a una pratica ardita e trasgressiva.

Nelle antiche culture primitive il piercing serviva

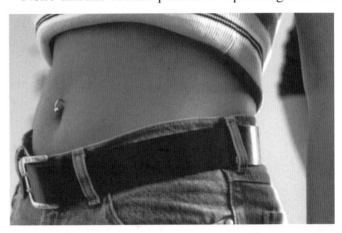

a distinguere i ruoli di ciascun individuo all'interno di un sistema sociale dove vigevano rigide gerarchie e ben determinate consuetudini culturali come i riti di iniziazione.

Oggi il piercing è diffuso soprattutto fra i giovani: anelli, palline e orecchini vengono applicati alle più disparate parti del corpo umano. Oltre ai classici lobi delle orecchie, il piercing è visibile anche al naso (sia al setto che alle narici), alle labbra, alle sopracciglia, alla lingua, sul mento o sull'ombelico.

Come il tatuaggio, anche questa pratica per tanto tempo ritenuta sinonimo di devianza, sembra essersi incanalata nei circuiti consumistici della moda.

Rischi e precauzioni

Ma esistono dei rischi per la salute? La risposta più tranquillizzante, e allo stesso tempo più scontata, dice che i pericoli potrebbero sorgere solamente se le più elementari norme igieniche non venissero rispettate. Una di queste prescrive che, nel caso del tatuaggio, l'ago utilizzato sia del tipo "usa e getta", che ogni strumento sia rigorosamente sterilizzato e che si utilizzino guanti di lattice. Inoltre, il tatuatore o chi applica il piercing deve avere una certificazione rilasciata dall'Azienda Sanitaria Locale e distribuire ai clienti un memorandum sulle precauzioni da prendere.

http://www.tatooepiercing.com

1. Comprensione. Vero o Falso?

V   F

1. Nei tempi antichi il tatuaggio poteva indicare una credenza religiosa.
2. Il tatuaggio non ha mai significato l'appartenenza a un gruppo etnico.
3. Il tatuaggio è un segno distintivo che serve a differenziare l'individuo dalla massa.
4. Negli anni Sessanta e Settanta il tatuaggio era diffuso fra i giovani ribelli.
5. Ultimamente il tatuaggio è diventato una moda.
6. Nelle culture antiche il piercing serviva a rendere la società più ugualitaria.
7. Il piercing si può vedere applicato anche sulle sopracciglia.
8. A differenza del tatuaggio, il piercing non è stato omologato dal sistema della moda.
9. Se le norme igieniche non sono rispettate, il tatuaggio e il piercing sono pericolosi.
10. Chi fa un piercing o un tatuaggio non è obbligato ad avere nessuna certificazione.

2. Lessico. Unite le parole a sinistra con la definizione o con il sinonimo corrispondente.

1. remoto	a. che non si può separare
2. credenza	b. parte inferiore e molle dell'orecchio
3. tratti	c. comportamento fuori dalla norma
4. inscindibile	d. ordinare, imporre per legge
5. sancire	e. coraggiosa, audace
6. ribellione	f. insurrezione, rivolta
7. ardita	g. dare carattere stabile e definitivo
8. lobo	h. opinione, convinzione
9. devianza	i. caratteristiche, peculiarità
10. prescrivere	l. lontano nel tempo, antico

3. Parliamone insieme.

1. Secondo voi, il tatuaggio e il piercing sono simboli di devianza, manifestano un determinato aspetto culturale, sono solamente espressioni di mode e tendenze oppure si possono riferire a tutti e tre questi concetti?
2. Immaginiamo che vogliate farvi un tatuaggio: in quale parte del corpo ve lo fareste applicare e quale soggetto scegliereste? Quali sarebbero per voi le maggiori preoccupazioni?
3. Un vostro amico vi comunica che vorrebbe farsi un tatuaggio o applicarsi un piercing: quale sarebbe la vostra reazione? Quali consigli gli dareste?

Made in Italy: fatto in Italia

La Nutella, Armani e Benetton sono solo alcune delle icone del Made in Italy. Succedeva in passato con la Vespa o con la Fiat 500, ma continua a succedere ai giorni nostri con i nomi dei grandi stilisti di moda, con i grandi vini e con tanti altri oggetti che tengono alta la bandiera dell'Italia all'estero.

Benetton

Casa creata dalla famiglia Benetton negli anni '60, ha riscosso un successo mondiale, diventando uno dei marchi più noti nel campo dell'abbigliamento. Le sue campagne pubblicitarie, firmate dal fotografo Oliviero Toscani, apertamente provocatorie, hanno suscitato dibattiti e polemiche ovunque.

La Moka

Venne brevettata da Renato Bialetti nel 1933. Serve da generazioni per preparare l'espresso, uno dei piaceri degli italiani.

Nutella

Dolce peccato di gola, la Nutella nasce ufficialmente nel 1964, anche se il suo inventore, Pietro Ferrero, aveva creato da anni una crema di nocciole spalmabile. Vietata dai dietologi, rimane la passione dei golosi dei quattro angoli del pianeta.

Armani

Simbolo della moda italiana, da oltre trent'anni veste personaggi del jet set internazionale. Le sue creazioni si distinguono per eleganza e creatività, evitando stravaganze e eccessi. Giorgio Armani propone una moda al passo con i tempi che non ha bisogno di provocazioni né di eccentricità.

Pirelli

Nata a Milano nel 1872 come fabbrica di articoli in gomma, la Pirelli produce pneumatici per automobili dal 1901. Negli anni venti iniziano le vittorie in Formula 1 di automobili con pneumatici Pirelli. Il gruppo è oggi leader non solo nel settore dei pneumatici ma in quello dei cavi a fibre ottiche.

1. (Traccia 23) **Ascoltate il brano relativo alla Vespa, il ciclomotore più famoso d'Italia, e indicate l'opzione corretta fra le 4 proposte.**

1. La Vespa

a. contava su un nutrito gruppo di ammiratori sparsi in tutto il mondo.
b. è un'invenzione recente.
c. ha ancora oggi molti ammiratori.
d. era una motocilcetta tradizionale.

2. La Vespa nasce

a. nel 1947.
b. verso la metà degli anni '40.
c. verso la fine degli anni '40.
d. nel 1957.

3. A differenza delle normali motociclette

a. è comoda e rumorosa.
b. non necessita il cambio della ruota.
c. è elegante e maneggevole.
d. ha un manubrio più pratico e maneggevole.

4. A metà degli anni '50

a. veniva prodotta in Europa e Asia.
b. era venduta in Europa e in Asia.
c. era prodotta e venduta in tutti i continen
d. era prodotta in Europa, Asia e America.

5. La Vespa

a. ha avuto recenti successi sul mercato di New York.
b. ha ricevuto un importante riconoscimento da parte del MoMa di New York.
c. ha ricevuto da poco un premio dal MoMa di New York.
d. è stata esposta in un fiera internazionale del design a New York.

 2. Parliamone insieme.

1. C'è qualche marca italiana che secondo voi identifica l'Italia più di altre? Perché? Esponete le vostre idee alla classe e confrontatele con quelle dei vostri compagni.
2. Ci sono alcune marche o prodotti che rappresentano il vostro Paese all'estero? Presentatele alla classe e spiegate perché sono emblematiche del vostro Paese.
3. Scegliete una di queste marche o prodotti e fate una ricerca via Internet sulla sua storia: quando nasce, come, dove, chi ne è artefice o inventore, come si evolve il prodotto etc. Successivamente esponete in classe i risultati della vostra ricerca.

 3. Comprensione. Dopo avere letto i due testi, indicate se le affermazioni si riferiscono a Valentino o a Giorgio Armani.

Valentino

Valentino (pseudonimo di Ludovico Garavani), nasce a Voghera nel 1932. Studia a Milano e poi alla scuola di Alta Moda di Parigi, dove sperimenta diverse soluzioni stilistiche. La prima grande ispirazione gli viene nel corso di una vacanza in Spagna, dove scopre le potenzialità del rosso ed inizia ad elaborare il "rosso Valentino", caratteristico per il cambio di tonalità tra l'arancio e il rosso vivo. Dopo una lunga esperienza professionale nell'atelier di Guy Laroche, apre una sartoria tutta sua in via Condotti, uno dei passaggi più esclusivi di Roma.

L'alta moda significa da sempre qualità, precisione del taglio, dei drappeggi, attenzione ai dettagli e alla scelta degli accessori. Lo stile di Valentino, tipicamente classico, diventa espressione della più alta tradizione creativa e sartoriale italiana. Le sue creazioni, sobrie ed eleganti, rappresentano la trasposizione estetica di un ideale di perfezione, una suggestione che, a contatto con il mondo e le persone reali, si trasforma in vita, sentimenti, emozioni. Il cromatismo, spesso ispirato al mondo dell'arte e della natura, è caratterizzato dal ricorrere del bianco e del rosso.

Con una nobile sintesi di natura e folklore, Valentino ha saputo conquistare il mondo intero, assurgendo a simbolo di eleganza e buon gusto.

Giorgio Armani

Nato a Piacenza nel 1934, lavora in un ufficio di promozione a Milano, entrando così in contatto con il mondo della moda attraverso prodotti di qualità provenienti dall'India, dal Giappone o dagli Stati Uniti. La prima grande ispirazione gli viene dunque da elementi originali tratti da culture straniere. Dopo anni di successo come "freelance", nel 1975 nasce la Giorgio Armani Spa. La sua linea di "prêt-à-porter" maschile e femminile rivoluziona lo stile casual con l'inserimento del cuoio che dona prospettive nuove ed inconsuete a elementi classici del vestiario. La giacca si libera dalle tradizionali costrizioni per approdare a forme inconsuete e fascinose, sempre e comunque controllate e di classe. Insomma, Armani riveste l'uomo con un tocco informale, offrendo a chi sceglie i suoi capi una sensazione di benessere e un rapporto sciolto e disinibito con il proprio corpo.

Nell'abbigliamento femminile lo stilista introduce nuovi modi di intendere il tailleur, riuscendo ad accostare l'abito da sera a scarpe con il tacco basso o perfino a scarpe da ginnastica.

Nell'arco di pochi decenni, Armani, più di ogni altro stilista, ha sviluppato uno stile inconfondibile, raffinato, sobrio e seducente, ma al tempo stesso perfettamente consono alla vita di tutti i giorni.

Valentino/Armani

1. La grande ispirazione gli è venuta durante un viaggio all'estero.

2. Ha fatto molta gavetta in un laboratorio professionale di moda.

3. Ha impresso notevoli innovazioni nell'abbigliamento classico.

4. Nella sua moda c'è grande attenzione per la misura delle stoffe.

5. Le sue creazioni sono legate ad un'eleganza senza eccessi.

6. Nei vestiti da sera da donna introduce novità d'accostamento.

7. Nei suoi capi sa adattare l'eleganza alla comodità.

4. (Traccia 24) **Ascoltate il brano relativo al design ecologico e completate le frasi con le parole mancanti.**

1. Così i materiali di .... per quei creativi sensibili all'impatto ecologico delle loro produzioni.

2. Una sorta di ...., originale e "sostenibile".

3. Si chiama design ecologico e coniuga la creatività con l'utilità, ... sia tra i produttori che tra i consumatori.

4. Siamo ancora in una fase sperimentale, ma visto l'interesse del pubblico e i ...., il settore promette sviluppi interessanti.

Un esempio di design ecologico

La meglio gioventù

(2003) di Marco Tullio Giordana, con Silvio Lo Cascio, Adriana Asti, Sonia Bergamaso, Maya Sansa, Fabrizio Gifuni

Il film racconta la storia di una famiglia italiana dagli anni '60 ad oggi, ripercorrendo le tappe più importanti della storia recente: dagli anni della contestazione giovanile al terrorismo, fino ai processi per corruzione ai politici nei primi anni Novanta.

I due figli maschi, Matteo e Nicola, attraversano insieme le tappe dell'adolescenza e della gioventù (*La meglio gioventù* come recita il titolo ripreso da una raccolta di poesie di Pasolini). L'incontro imprevisto di una ragazza con problemi psichici cambia la vita di entrambi. Segnate da questo evento, le strade dei due ragazzi si dividono: Matteo decide di diventare psichiatra, mentre Nicola entra nella Polizia.

Nel film i personaggi e le loro storie si intrecciano, le loro vite si avvicinano e si allontanano a seconda dei momenti, mantenendo sempre alta l'attenzione dello spettatore. Il regista mantiene un ottimo equilibrio tra la rappresentazione delle vicende storiche e la descrizione dei personaggi, le une fanno da complemento agli altri e viceversa.

Il film, articolato in più episodi (circa sei ore), ha vinto la sezione *Un certain regard* del Festival del cinema di Cannes e ha riscosso consensi da parte della critica e del pubblico.

 1. Completate con la parola derivata dal termine dato fra parentesi.

1. La .... del film è stata molto lunga e difficile. (*lavorare*)
2. Nicola è un ragazzo che ha delle .... (*difficile*)
3. Giorgia è una ragazza .... (*attrarre*)
4. Nicola entra nella Polizia perché sente un'............................... di ordine. (*esigere*)
5. Nel film non mancano delle situazioni .... (*commuovere*)
6. Con il passare degli anni Nicola diventa più introverso e .... (*aggredire*)
7. La mamma di Nicola è una persona molto .... (*istinto*)
8. La compagna di Matteo fa una .... estrema. (*scegliere*)

Andrea De Carlo

È nato a Milano dove ha studiato Storia moderna all'Università. Ha esordito come scrittore con *Treni di panna* (1981). Ha lavorato nel campo della fotografia e del cinema con personaggi come Antonioni e Fellini. Tra le altre sue pubblicazioni ricordiamo: *Macno* (1984), *Tecniche di seduzione* (1991), *Arcodamore* (1993), *Uto* (1995), *Di noi tre* (1997), *Nel momento* (1999), *Pura vita* (2001), *I veri nomi* (2002), *Giro di vento* (2004). I brani di seguito sono tratti da *Due di due* (1989), romanzo sull'amicizia tra due ragazzi: Guido e Mario. La storia comincia verso la fine degli anni '60 con l'inizio della contestazione giovanile, nelle scuole e nelle università, nelle fabbriche e nelle piazze. Anni turbolenti sul cui sfondo si sviluppa il rapporto tra i due amici.

Due di Due

A scuola anche i più passivi tra i nostri compagni hanno cominciato a lamentarsi apertamente di quello che dovevamo studiare e di come ci veniva insegnato. I professori hanno cercato di alzare la voce, accentuare l'incomprensibilità dei loro codici per intimorirci. Le nostre richieste erano del tutto ragionevoli all'inizio, ma non sembravano in grado di prenderle in considerazione.

Una volta, per esempio, Guido ha proposto alla professoressa di latino di farci leggere libri interi invece dei soliti spezzoni infarciti di campionature grammaticali, in modo da ricavare qualche piacere dalla fatica di tradurre. Lei non l'ha neanche lasciato finire; ha gridato "Voi leggete quello che vi dico io, non dovete certo insegnarmi il mio lavoro, manica di ignoranti e lazzaroni!" [...] Di pomeriggio ci vedevamo ormai quasi sempre. Vivevamo in un clima rapido adesso, lontano dall'immobilità fluttuante degli anni prima. Mia madre e suo marito non ne erano affatto contenti: mi guardavano con preoccupazione ogni volta che entravo o uscivo, cercavano di spiegarmi quello che succedeva così come lo percepivano attraverso i loro giornali. Non li ascoltavo neanche, mi tappavo le orecchie con le mani finché non smettevano, mangiavo e scappavo fuori di corsa.

Andavo a prendere Guido e tornavamo insieme in centro. Quasi ogni giorno c'erano riunioni e manifestazioni e assemblee a cui partecipare, discussioni accese e discussioni sottili e discussioni incomprensibili; allarmi ricorrenti. Di colpo arrivavano voci su colonne di fascisti in avvicinamento, e ci riempivano di agitazione, panico e aspettative mescolati. Facevamo preparativi, discussioni sulle tecniche dei preparativi.

C'era un piccolo gruppo di studenti universitari che avevano lavorato ai loro modi di fare fino a sembrare molto vissuti e pericolosi, pieni di risorse impreviste.

Erano più alti e robusti della media, ognuno con lo sguardo e i movimenti e i vestiti giusti, il tono giusto di voce. In queste occasioni apparivano da un attimo all'altro, armati di caschi e bastoni; andavano a mettersi di guardia alle porte, come samurai venuti a difendere un villaggio di poveri contadini. Per noi più giovani erano suggestivi: le ragazze li guadavano ammirate, i ragazzi con desideri di emulazione. Guido mi faceva notare quanto vivevano di atteggiamenti, ma il loro aspetto romantico lo affascinava; e l'idea che si fossero inventati da soli.

I fascisti non si materializzavano quasi mai, o lo facevano in punti lontani della città, per scomparire subito dopo. Di solito stavano confinati in una sola zona, vicino al bar dove Guido mi aveva presentato le sue amiche, e nessuno di noi si azzardava a passarci normalmente. In altre città dovevano essere un vero pericolo, ma a Milano era difficile vederne; questo provocava lunghe attese a vuoto, anticipazioni eccitate che si stemperavano nell'arco di ore.

Avremmo voluto credo qualcuno che incarnasse tutto quello che detestavamo, ma non era facile trovarlo. I nostri professori avevano ceduto alla minima pressione, e adesso sembravano vittime quanto noi di quello che insegnavano; i poliziotti venivano solo mandati. I veri responsabili avevano contorni sfumati e nomi generici: il governo, i capitalisti, l'imperialismo; era difficile dargli un nome o una faccia. Così sfilavamo per le strade pieni di frustrazione e gridavamo contro le facciate dei palazzi e i dorsi delle automobili. A volte veniva voglia di fare a pezzi gli oggetti, danneggiare lo scenario visto che il regista e gli attori erano nascosti.

Renato Guttuso

(Bagheria 1912 - Roma 1987)

Renato Guttuso inizia a dipingere alla fine degli anni venti con uno stile che risente molto dell'influenza del Picasso di *Guernica* (1937). Durante la guerra combatte nella resistenza e dipinge la celeberrima serie di massacri *Gott mit uns*, raccolta di dipinti e acquerelli sugli orrori della guerra. *La crocifissione* (1941) è forse l'esempio più eloquente di questo atteggiamento critico. A partire dal dopoguerra Guttuso diventa l'esponente più rappresentativo di un certo modo di fare pittura, attento alla realtà sociale, politicamente impegnato nelle file del Partito Comunista. A fianco dei temi impegnati e seri, a partire dagli anni cinquanta Guttuso comincia a raccontare la vita quotidiana in tutti i suoi aspetti, fissando momenti di svago e di divertimento.

Renato Guttuso, Boogie-Woogie, 1953, olio su tela, Museo d'Arte Moderna e Contemporanea, Rovereto

- Il tema della tela è l'Italia degli anni '50, che cambia al suono della musica che arriva dagli Stati Uniti.

- Il suo stile realista si caratterizza con i tratti decisi, i colori forti e contrastanti.

- Pur in un momento di svago collettivo i personaggi di Guttuso sembrano tristi e pensierosi.

- I colori forti e il movimento della danza, fanno da contrasto alle espressioni rigide e quasi tormentate dei personaggi.

- In fondo alla sala c'è la riproduzione di un quadro di Mondrian, *Broadway Boogie-Woogie* (1942).

INDICE

edizioni Edilingua

Nuovo Progetto italiano 1 T. Marin - S. Magnelli
Corso multimediale di lingua e civiltà italiana
Livello elementare

Nuovo Progetto italiano 2 T. Marin - S. Magnelli
Corso multimediale di lingua e civiltà italiana
Livello intermedio

Nuovo Progetto italiano 3 T. Marin
Corso multimediale di lingua e civiltà italiana
Livello intermedio - avanzato

Allegro 1 L. Toffolo - N. Nuti
Corso multimediale d'italiano. Livello elementare

That's Allegro 1 L. Toffolo - N. Nuti
An Italian course for English speakers
Elementary level

Allegro 1 A. Mandelli - N. Nuti
Esercizi supplementari e test di autocontrollo
Livello elementare

Allegro 2 L. Toffolo - M. G. Tommasini
Corso multimediale d'italiano
Livello preintermedio

Allegro 3 L. Toffolo - R. Merklinghaus
Corso multimediale d'italiano. Livello intermedio

La Prova orale 1 T. Marin
Manuale di conversazione. Livello elementare

La Prova orale 2 T. Marin
Manuale di conversazione
Livello intermedio - avanzato

Video italiano 1, 2, 3 A. Cepollaro
Videocorso italiano per stranieri
Livello elementare - medio - superiore

Vocabolario Visuale T. Marin
Livello elementare - preintermedio

Vocabolario Visuale - Quaderno degli esercizi
T. Marin. Attività sul lessico
Livello elementare - preintermedio

Diploma di lingua italiana A. Moni - M. A. Rapacciuolo. Preparazione alle prove d'esame

Sapore d'Italia M. Zurula
Antologia di testi. Livello medio

Primo Ascolto T. Marin
Materiale per lo sviluppo della comprensione orale
Livello elementare

Ascolto Medio T. Marin
Materiale per lo sviluppo della comprensione orale
Livello medio

Ascolto Avanzato T. Marin
Materiale per lo sviluppo della comprensione orale
Livello superiore

Scriviamo! A. Moni
Attività per lo sviluppo dell'abilità di scrittura
Livello elementare - intermedio

Al circo! B. Beutelspacher
Italiano per bambini. Livello elementare

Forte! 1 L. Maddii - M. C. Borgogni
Corso di lingua italiana per bambini (6-11 anni)
Livello elementare

Una grammatica italiana per tutti 1
A. Latino - M. Muscolino
Livello elementare

Una grammatica italiana per tutti 2
A. Latino - M. Muscolino
Livello intermedio

I verbi italiani per tutti R. Ryder
Livello elementare - intermedio - avanzato

Raccontare il Novecento
P. Brogini - A. Filippone - A. Muzzi
Percorsi didattici nella letteratura italiana
Livello intermedio - avanzato

Invito a teatro L. Alessio - A. Sgaglione
Testi teatrali per l'insegnamento dell'italiano a stranieri. Livello intermedio - avanzato

Mosaico Italia M. De Biasio - P. Garofalo
Percorsi nella cultura e nella civiltà italiana
Livello intermedio - avanzato

Collana l'Italia è cultura M. Zurula
Lineamenti di storia, letteratura, geografia, arte, musica, cinema e teatro

Collana Raccontimmagini S. Servetti
Prime letture in italiano. Livello elementare

Collana Primiracconti
Letture graduate per stanieri. *Traffico in centro* (livello elementare) e *Un giorno diverso* (livello elementare - preintermedio) M. Dominici

Collana Cinema Italia A. Serio - E. Meloni
Attività didattiche per stranieri. *Io non ho paura - Il ladro di bambini* (livello intermedio - avanzato)

Collana Formazione

italiano a stranieri (ILSA)
Rivista quadrimestrale per l'insegnamento dell'italiano come lingua straniera/seconda